Linda Priestley œuvre depuis de nombreuses années dans le domaine de l'information. Elle est notamment rédactrice en chef du magazine féminin *L'Essentiel*. Elle signe ici son premier récit.

Linda Priestley

Inceste

Collection S.O.S.

AVERTISSEMENT : Ce livre est une biographie. Cependant, par souci de discrétion, les noms, les lieux ansi que certains détails qui auraient permis l'identification des personnes concernées, ont été changés.

L'éditeur tient à remercier madame Monique Pion, de Trêve pour elles, de sa précieuse collaboration.

Réalisation de la couverture : Zapp
Révision : Brigitte Beaudry
Correction : Corinne De Vailly, Sylvie Prieur
Pelliculage : Litho Montérégie
Impression : Interglobe
Diffusion : Diffulivre

Dépôts légaux : 4e trimestre 1997
Bibliothèque nationale du Québec
Bibliothèque nationale du Canada
ISBN 2-921884-17-8
Imprimé au Canada

Les Éditions SMBi inc.
Montréal (Québec) Canada

Pour tous les pères qui oublient trop facilement,
Pour toutes les petites filles qui ne peuvent oublier...

Préface

Il nous est tous déjà arrivé de nous sentir vulnérable face à une situation ou face à quelqu'un. Que ce soit seul dans le noir de sa chambre la nuit, ou lors d'un exposé oral devant toute la classe, ou tout simplement devant nos parents, après avoir fait un mauvais coup... Même si cette sensation de mise à nu peut nous paraître insupportable au moment où on la vit, on a vite fait de l'oublier parce que, heureusement, elle ne passe qu'à l'occasion.

Pour être si fragile et si facilement attaquable, il faut donc se mesurer à une menace devant laquelle, généralement, nous semblons n'avoir aucune chance. Cette menace devient alors notre plus grand ennemi et nous dépensons une énergie folle à essayer de l'anéantir jusqu'à ce que nous puissions redevenir maître de nous-même. Mais que se passe-t-il lorsque la fameuse menace nous apporte de la protection, du réconfort et beaucoup d'amour ?

Aube, le témoin de *Inceste*, nous raconte son histoire, celle d'une petite fille qui a vécu dans la peur et dans l'intimidation, trop longtemps menacée par celui en qui elle avait le plus confiance au monde... Son témoignage m'a fait comprendre que vulnérabilité et menace peuvent prendre des proportions démesurées et que si le mur du silence n'est pas brisé, les conséquences n'en seront que plus désastreuses !

Je souhaite que la vie d'Aube, si ouvertement dévoilée, nous amène à être vigilants envers ce qui se passe autour de nous, mais aussi, face à ce qui se passe à l'intérieur de chacun de nous. Il est essentiel de ne laisser aucun doute planer dans nos esprits ; dès qu'une menace se fait trop grande, trop pressante, trop insistante et même si son origine nous donne envie de fermer les yeux, il faut se tenir debout et empêcher que celle-ci mine notre vie.

Soyez fiers de vous et de vos idées et que rien ni personne ne vous fasse baisser la tête.

Bonne lecture !

Annie Cotton

Prologue

« … si tu ne viens pas, Aube, tu sais ce qui arrivera… » Je blêmis en entendant cette menace à peine voilée. Je jette un coup d'œil à ma montre : Il est deux heures et demie. Je n'ai plus que trente minutes. Trente minutes ! Il a tout prévu, tout calculé, le salaud. Je l'imagine savourer son heure de gloire, assis devant l'horloge du salon et se frottant les mains, qu'il a sans doute moites… Ces mains que je trouvais autrefois si belles. Je raccroche le combiné et je sors en courant de chez moi ; je dois faire vite, il me faut un taxi tout de suite. Maintenant.

Au bout d'une éternité, une voiture apparaît au coin de la rue. Je la hèle d'un bras lourd ; grâce au ciel, le chauffeur m'a remarquée et roule maintenant vers moi. L'auto s'immobilise à peine que je m'y engouffre, le cœur battant. Je veux lancer l'adresse au chauffeur, mais aucun son ne sort de ma bouche. Il se retourne vers moi, les sourcils en circonflexe. J'essaie de nouveau de prononcer quelques sons, mais c'est peine perdue, je suis au bord des larmes.

— Ça va ? Tu es plutôt pâlotte. Tu n'es pas malade ? me demande-t-il, sincèrement inquiet.

Je fais signe que non. Je ne vais pas bien et je ne suis

pas malade. Soudain, j'ai une inspiration : je fouille dans mon porte-monnaie et en sors une carte d'identité sur laquelle figure mon ancienne adresse. Je la lui montre.

— Tu as oublié ta propre adresse ?

D'une certaine manière, oui…

Dans le taxi qui file, j'essaie de mettre mes idées en ordre. Je croyais pouvoir fuir le passé, tout oublier, tout laisser derrière moi. Mais la menace qui gronde me rappelle que ma liberté a un prix… un prix que je refuse de payer.

Je relève la tête pour voir où nous sommes. Nous approchons. Je regarde ma montre à nouveau. Il ne reste que trois minutes avant l'échéance… Deux minutes. Nous tournons le coin d'une rue si familière… Une minute. La maison est toujours là, évidemment ; j'ai mal, juste à la regarder… Trente secondes. Sans compter, je règle la course et me précipite hors de l'auto. À une vitesse affolante, je grimpe les marches qui mènent au perron. Mon cœur pompe comme celui d'un fumeur qui vient de courir un marathon. La porte d'entrée est verrouillée, mais j'ai encore la clé. L'avait-il deviné ?

J'entre à toute volée et m'élance vers l'escalier. Plus que dix secondes. Je monte les marches quatre à quatre… J'arrive devant la porte de ma chambre, elle est entrouverte. Je l'ouvre en grand sur une scène qui me ramène dix ans en arrière : Une enfant qui me ressemble est allongée sur le lit. L'homme qui se penche sur elle relève la tête et me regarde… ces yeux… J'ai un goût de meurtre dans la bouche. Je me mets à crier à en perdre haleine, puis je me jette sur mon père.

1
L'univers de papa

Au commencement, il y eut lui.
Ensuite, il y eut ma mémoire de lui.

L'homme se penche sur mon berceau et répète inlassablement : « Paaaaaapa, dis, paaaaapa ».

Quand je pleure, la nuit comme le jour, l'homme grimpe l'escalier pour voler à mon secours. Papa, puisque c'est ainsi qu'il s'appelle, devient rapidement le soleil de ma vie.

Bébé, je n'ai aucun souvenir de ma mère, ni des câlins ni des sourires qu'elle aurait pu me prodiguer.

■

J'ai un an et demi, je me tiens sur mes jambes depuis longtemps déjà. Je marche derrière mon père et le suis partout. Maman n'aime pas que je sois toujours aux trousses de papa. Mais lui, il rit.

Non seulement je marche, mais je parle. D'après papa, je suis un génie, surtout quand j'identifie correctement des images qu'il me montre alors que, par exemple, nous sommes assis par terre au salon. Mes bonnes réponses — chien, chat, ballon — provoquent souvent des discussions :

— Elle est brillante, ma fille ! Dans un an, elle va réciter l'alphabet, j'en suis sûr !

— Tu as fini d'en faire une savante ? répond maman.

Papa ne se fait jamais supplier pour jouer avec moi. Mais parfois, il est de très mauvaise humeur. Il ne me parle pas, ne me regarde même pas. J'ai peur quand il est si froid ; c'est comme si toute lumière disparaissait de ma vie. Pour le dérider, je fais des grimaces, je me fais cajoleuse ; je me roule en boule sur son ventre, à la manière d'une chatte. Je sais qu'il aime me sentir pelotonnée contre lui. D'ailleurs, il me demande souvent de « faire la chatte ». Et lorsque je parviens à le faire sourire, il me serre dans ses bras en m'appelant sa petite princesse. Mais moi, dans ces moments-là, je suis bien plus qu'une simple petite princesse : je suis Aube-la-toute-puissante qui soigne les bobos de son papa. J'adore mon papa. Je voudrais qu'il soit toujours content.

Quand maman part travailler, c'est le cirque à la maison. Comme papa est au chômage, nous passons nos journées ensemble. Nous faisons ce que nous voulons. Papa dit que lorsque la reine n'est pas là, nous sommes les maîtres du royaume enchanté. Nous jouons à cache-cache ou à nous raconter des contes de fées. Notre préféré est *La princesse et le crapaud*. Papa croasse et saute partout tandis que moi, j'essaie de l'attraper.

Quand je l'embrasse, il crie : « Pouf ! Je suis ton prince charmant ! C'est à mon tour de t'embrasser ».

■

Papa s'est trouvé du travail. Il sera désormais acheteur dans une compagnie de construction. Il commence ce matin. Maman, elle, a transporté son bureau à la maison.

Il a revêtu une belle chemise et a lissé ses cheveux bruns. Il a l'air tellement sérieux… mais ce qu'il est beau. Aujourd'hui plus que jamais, je voudrais l'avoir pour moi toute seule.

Il est prêt à partir maintenant, à me quitter pour la première fois. Je ne veux pas que mon soleil soit remplacé par un gros nuage noir. Je m'accroche aux jambes de papa en hurlant. Maman essaie de m'arracher à lui, mais je suis beaucoup plus agile qu'elle.

— Mais aide-moi donc ! lui crie-t-elle.

Il réussit à me faire lâcher prise et me tient à bout de bras.

— Aube, ma petite princesse, commence-t-il, je dois aller travailler. Il faut que je prenne soin de vous deux. C'est mon devoir de papa. Maman sera là avec toi.

Maman lève les yeux au ciel. La journée s'annonce emballante…

Non, mais, c'est quand même le monde à l'envers ! C'est lui qui part et c'est elle qui reste. Nous étions bien quand papa n'avait pas de devoir et que nous prenions possession de notre royaume tous les matins. Pourquoi tout chambarder ?

— Tu l'as gâtée pourrie, lui lance maman sur un ton

accusateur. Qu'est-ce que je vais faire, moi, avec elle toute la journée ? Elle crie à ameuter tout le quartier. Je n'ai pas le temps de m'en occuper. J'ai du travail !

— Tu n'as qu'à faire comme d'habitude, ignore-la ! lui répond papa, un ton plus haut.

Il quitte la maison en claquant la porte, sans même se retourner. Je l'observe monter dans sa voiture. Il démarre et je continue de le regarder jusqu'à ce que l'auto ne soit plus qu'un point minuscule. Maman n'aurait pas dû être méchante avec lui. Peut-être ne reviendra-t-il jamais !

J'ai le nez collé à la fenêtre depuis longtemps. Il arrive ! J'ai vu sa voiture virer au coin de la rue ! Il n'a pas aussitôt ouvert la porte d'entrée que je me jette dans ses bras en poussant des cris de Sioux.

— Tout doux, tout doux, dit-il en riant.

— Comme c'est touchant ! fait maman, impatiente. Aube s'est ennuyée de son père. Mais c'est vrai, j'oubliais, il a été absent pendant dix heures, au moins ! Seigneur ! Et elle n'en est pas morte ?

Je pense que maman est méchante. Oui, elle est aussi méchante que la reine de *La Belle au bois dormant*. Papa, lui, croit qu'elle est jalouse parce que, bébé, j'ai prononcé le mot « papa » avant « maman ».

Comme chaque soir, papa vient me border. J'aime ce moment de la journée, il n'appartient qu'à nous. C'est l'heure officielle des confidences et des câlins.

— La journée n'a pas été trop difficile avec ta mère ? me demande-t-il en s'asseyant près de moi.

À bien y réfléchir, je suis forcée de le reconnaître : Malgré une matinée pénible, l'après-midi a plutôt bien tourné.

Après le départ de papa, maman s'empresse de m'envoyer jouer dans ma chambre. Je suis déçue de constater qu'elle oublie son devoir de maman et qu'elle n'a pas l'intention de s'occuper de moi. Je m'ennuie, seule avec mes poupées, mais je suis bien décidée à tenter un rapprochement. Je vais la voir de temps en temps, même si elle me dit chaque fois d'aller jouer ailleurs.

Après le lunch, je traîne de nouveau dans son bureau. À ma grande surprise, maman ne me repousse pas. Elle m'invite même à grimper sur ses genoux. Elle m'explique ce qu'elle fait et à quoi sert la grosse boîte qui ressemble à un téléviseur ! Je n'y comprends pas grand-chose, mais je m'en fiche. Maman s'anime en me parlant et ses yeux brillent ! Je profite de sa bonne humeur pour lui poser mille questions.

— Peut-être qu'un jour, moi aussi je serai *pécialisse* de… de…

— Spécialiste de traitement de texte, reprend maman en riant.

Je ris avec elle, timidement. Je n'ose pas m'esclaffer, je crains de la fâcher. Finalement, je peux dire sans me tromper que ma mère n'est pas plus mauvaise que ça.

Mais ensuite, il y a eu l'épisode du retour de papa, qui a l'air sombre lorsque je termine de lui raconter mon boniment. Il se lève, avance vers la porte.

— Tu commences à aimer mieux maman que moi…

Cette nuit-là, je me réveille complètement affolée. J'ai fait un cauchemar épouvantable. Je tremble comme une feuille sous mes couvertures. Et par-dessus le marché, j'ai fait pipi !

Soudain, j'entends un bruit. Je risque un coup d'œil de sous mon abri. Le son semble provenir de ma garde-robe. Mon cœur bat à tout rompre. Une ombre sort du placard et avance vers moi. Je suis à deux doigts de mourir de peur quand j'entends le monstre chuchoter :

— Chut, Aube. Ce n'est rien. Je suis là.

C'est papa ! Il est venu me protéger des monstres ! Je me jette sur lui en pleurant. Entre deux hoquets, je lui raconte mon rêve. J'en profite pour me blottir aux creux de ses bras. Si je le pouvais, j'irais me réfugier sous son pyjama !

— Tout doux, princesse, ce n'est rien, c'est fini. Papa est là, dit-il en allumant ma lampe de chevet.

D'une main il caresse mes cheveux, mes bras, mes jambes. De l'autre, il dessine des cercles rassurants sur mon ventre. Il chantonne une berceuse. Puis il prend mon visage entre ses mains et m'embrasse délicatement sur la bouche.

— Mon petit crapaud... te voilà transformée en princesse.

Je ris. Il me soulève et me transporte jusqu'à sur ma commode. Il retire mon pyjama et ma culotte souillés. Il entreprend de me laver avec une serviette humide. Il prend un soin méticuleux à nettoyer l'endroit d'où sort le pipi. Il se penche pour m'examiner là. Il touche. Ses doigts me chatouillent. Je frissonne.

— Papa, j'ai froid !

— Laisse-moi regarder comme il faut, réplique-t-il

d'un ton contrarié. Tu as des rougeurs.

— C'est quoi, des rougeurs ? Où ça ?

— Ne bouge pas. Je vais te mettre de la crème.

Il tend la main vers le pot de Zincofax, y plonge les doigts, puis applique la crème sur ma peau, en commençant par mon entrecuisse. Il lève ensuite mes jambes pour enduire mes fesses de pommade. Il revient à l'avant, là où ça me fait tout drôle. Il me repousse quand j'essaie de voir ce qu'il fait.

Ses doigts se promènent. Ils sont froids et gluants. C'est bizarre… Je suis couverte de frissons, chauds et froids à la fois. Papa sourit. Les minutes passent. De sa main gauche, il caresse mon visage.

— Tu aimes ça, ma princesse ? Même au milieu de la nuit, papa se lève pour s'occuper de toi.

Muette et immobile, je fixe sa main. Je suis incapable de regarder ailleurs. On dirait que papa m'a jeté un sort, comme dans les contes de fées.

Aïe ! Il m'a pincée ! Je sursaute. Le charme est rompu. Je sens l'air frais sur mon corps, la courbature qui s'installe dans mon dos. Je m'agite. Papa retire sa main. Après m'avoir fait enfiler une culotte et un pyjama propres, il me ramène dans mon lit.

— À demain soir, petite princesse, me susurre-t-il à l'oreille en éteignant la lumière.

Je passe de longs moments à fixer le mur avant de m'endormir.

2
Les premiers mensonges

Quelle humiliation ! À trois ans et demi, je dois recommencer à porter la couche. Comme un bébé ! Je fais pipi au lit toutes les nuits. Ce matin encore, papa doit me changer avant de partir travailler. Maman vient s'appuyer contre la porte de ma chambre. En voyant ses cheveux ébouriffés, ses yeux bouffis, j'éclate de rire.

— Le réveil est pénible ce matin ? lui demande papa d'un ton plat.

Maman lui lance un regard à le jeter par terre.

— Ce n'est pas normal qu'une enfant de son âge fasse encore pipi au lit. C'est peut-être une infection ?

— Le pédiatre m'affirme que beaucoup de jeunes enfants ont le même problème. Il dit que ça va passer. En attendant, ne t'inquiète pas, je m'en occupe, je sais que tu es très épuisée ces temps-ci.

Bizarre… je ne me rappelle pas être allée chez le médecin.

Maman rebrousse chemin, probablement pour aller se recoucher. Son pas est lourd dans l'escalier. Elle dort beaucoup dernièrement. Une vraie marmotte. Enfin, c'est papa qui le répète souvent.

— Quand je pense qu'elle reste à la maison pour s'occuper de toi. Mais non ! C'est moi qui fais tout ici. Madame est toujours trop fatiguée. Elle dort tout le temps. Une vraie marmotte ! Une chance que je suis là, s'exclame-t-il, une épingle de sûreté à la main.

— Aïe ! Tu m'as piquée ! Maman le fait pas comme ça, elle ne me fait pas mal, elle.

— Oh, pardon, Votre Altesse ! Comme si je ne t'avais pas si souvent changée de couche ! Arrête de grouiller ! Et puis, laisse-moi te dire que maman n'est pas du tout contente de toi. Les petites filles qui font pipi au lit, ça la met en colère. Je fais tout ce que je peux pour l'empêcher de t'envoyer à l'orphelinat. Alors, ne sois pas difficile, veux-tu ?

Le cœur lourd, je reste silencieuse et cesse de bouger.

◼

Papa vient chaque soir dans ma chambre pour changer ma couche et pour jouer. Il m'explique qu'il vaut mieux ne rien dire à maman.

◼

Elle et moi sommes seules ce soir. Papa doit rentrer tard. J'ai hâte qu'il revienne car maman me pose bien des questions. Il m'est déjà assez difficile de lui échapper le jour, si en plus je dois me soumettre à son interrogatoire le soir… Elle veut savoir à quels jeux nous jouons, papa et moi, quelles sont les histoires qu'il me raconte. Je ne peux pas et je ne veux pas lui répondre.

Un secret est un secret. Et je suis la gardienne de nombreux secrets. Pourquoi devrais-je m'attirer la colère de papa ?

Décidément, il a beaucoup de travail. Trop pour arriver à temps pour me border. À en juger par le baiser décevant que maman dépose furtivement sur ma joue, je peux confirmer qu'elle ne connaît rien à l'heure des câlins. Déjà au seuil de ma porte, elle me souhaite bonne nuit.

— Et mon verre d'eau ?

— Quel verre d'eau ? fait-elle, interdite.

— Mon verre d'eau ! Papa me donne un verre d'eau. C'est pour nettoyer mon… heu… système.

— Pour nettoyer ton système ? Pour nettoyer ton système ! Je vais lui nettoyer le système à lui, moi !

Oups ! Qu'est-ce que j'ai dit de mal ? Maman tourne les talons et dévale l'escalier. Des portes s'ouvrent et se referment. Je devine qu'elle est dans la cuisine. Elle fouille dans les armoires sans doute. Quelques instants plus tard, elle est de retour avec des verres de tailles différentes dans les mains. Elle les agite devant moi.

— Lequel ? Dans quel verre te sert-il de l'eau ?

Son regard bleu est mauvais et sa voix autoritaire. Apeurée, je pointe le plus gros des verres, celui qui est en plastique jaune et sur lequel sont peints de jolis petits lapins roses. C'est mon préféré. Papa le sait, lui. Maman fixe le verre, l'air déconcerté.

— Incroyable… marmonne-t-elle. Incroyable ! Je n'en reviens pas ! Sacr… d'imbécile !

Ouf ! Maman n'a pas l'habitude de dire des gros mots. Elle doit être vraiment fâchée. Elle va exploser d'une minute à l'autre. J'espère seulement qu'elle le fera ailleurs que dans ma chambre. Mais plus encore, j'espère qu'elle n'est pas en colère contre papa.

Le soir même et le lendemain, j'appréhende le raz-de-marée… qui ne vient pas. Pas un mot, pas un son. J'ai rêvé, ou quoi ? En attendant, je me fais toute petite. J'ai le désagréable sentiment d'avoir commis une bêtise. Chaque fois que papa me regarde, me sourit, j'ai envie de pleurer tant je me sens coupable. Peut-être que maman ne dira rien. Je suis si nerveuse, malgré mes presque quatre ans, que j'ai de la difficulté à avaler la plus petite bouchée. Mais je fais des efforts surhumains parce que papa est inquiet. Je le vois bien à son air.

Le surlendemain, je sens que je vais m'effondrer. Mais qu'elle parle ! Qu'on en finisse une fois pour toutes ! Au moment de me coucher, j'ai un regain d'espoir. Elle a sans doute oublié. Après deux soirs d'absence à mon chevet, papa entre dans ma chambre avec son grand sourire… et le verre d'eau ! Mon cœur s'arrête et je fixe le verre de mes yeux exorbités. Tout agitée que je suis, j'ai oublié de lui dire que, dorénavant, je n'aurais plus soif avant de m'endormir. Il me tend le verre. Je fais non de la tête.

— Prends ton verre d'eau, Aube.

— Je n'ai pas soif, lui dis-je, les dents serrées.

— Aube, je te l'ai déjà expliqué. Il est important que tu boives toute ton eau avant de te coucher pour nettoyer ton système…

Il n'a pas aussitôt dit ces mots, que j'entends crier derrière la porte :

— Espèce de crétin !

Maman se matérialise alors, prête à mordre. Le verre échappe des mains de papa.

— Elle peut bien pisser au lit avec toute cette eau que tu lui donnes ! On ne t'a jamais expliqué le lien entre l'eau et l'urine ? On b-o-i-t, on p-i-s-s-e !

J'ai l'impression que papa va s'étrangler de rage.

— T'as pas envie de baisser le ton ? On t'entend à l'autre bout du continent, crie-t-il en pointant un doigt sur elle.

— Laisse faire l'autre bout du continent ! Concentre-toi sur ce qui se passe dans cette maison si tu en es capable. On dirait que tu le fais exprès. Tu aimes ça te lever au milieu de la nuit pour la changer de couche ? C'est ça ? Réponds !

Ils s'engueulent. Sidérée, je regarde la scène. Puis je baisse les yeux. L'eau renversée s'est répandue sur mon pyjama et sur mes couvertures. Et en plus, j'ai fait pipi ! J'ai presque envie de les interrompre pour leur déclarer : « Regardez, j'ai fait pipi, et ce n'est pas à cause de l'eau que papa me donne ».

Mais la lutte est bien trop chaude pour qu'ils se souviennent même que j'existe. Ils sortent de ma chambre en criant et continuent de se chamailler en descendant les marches. La mort dans l'âme, je sors de mon lit, je retire mes draps et couvertures, puis je change de pyjama. Je me recouche. Je somnole jusqu'aux petites heures du matin, bercée par les voix qui montent du champ de bataille...

Depuis, je ne fais plus pipi au lit et papa vient moins souvent jouer avec moi la nuit. Il dit que maman l'espionne. C'est vrai qu'elle lui demande sans arrêt ce qu'il fait. Quand ils se chicanent, je pleure. Papa vient me prendre dans ses bras et me console de sa voix douce.

— Ce n'est pas grave si maman ne nous aime pas, me dit-il parfois. Toi et moi, nous nous aimons.

Heureusement qu'il est là. Sinon, maman se débarrasserait de moi.

■

L'hiver de mes quatre ans me voit transformée en vrai petit diable. L'orphelinat ne me fait plus peur. Quand maman est fâchée contre moi, papa me défend.

Elle a bien essayé de me taper les fesses une fois, parce que j'avais transporté la neige du jardin jusque dans la cuisine avec ma belle pelle neuve. Mais papa, mon prince, est intervenu en lui promettant de me régler mon compte. Arrivés dans ma chambre, il a fait semblant de me rougir les fesses et moi, heureuse de ce nouveau jeu, je me suis mise à hurler comme s'il me frappait vraiment. Nous avons ri de bon cœur du tour que nous jouions à notre plus grande ennemie.

■

C'est l'été encore une fois ! Papa a perdu son emploi. Il cherche du travail, mais pas assez sérieusement au goût de maman. Autre sujet de discorde. Il lui dit qu'il fait ce qu'il peut.

Nous allons presque tous les jours au parc où jouent d'autres enfants de mon âge. Je ne leur parle jamais, car papa aime que nous allions nous reposer dans le coin le plus reculé du parc, sous un arbre. J'écoute les enfants rire, se chamailler, crier joyeusement. J'aimerais bien participer à leurs jeux, mais papa dit que ce sont des sauvages, sans compter que je pourrais me blesser. Avec lui, je suis à l'abri de tous les dangers.

Un jour, je les entends qui barbotent dans la pataugeuse municipale. Ma curiosité est trop vive, je n'y tiens plus, je *veux* jouer avec eux. Je profite de ce que papa a le dos tourné pour marcher jusqu'à la barboteuse. Les enfants ont l'air de s'amuser vraiment ; leurs jeux ne me semblent pas dangereux. J'avance jusqu'au bord du bassin dans l'espoir d'attirer leur attention. Peut-être m'inviteront-ils à me baigner ?

Tout à coup, deux bras me happent brutalement et je me sens soulevée à la vitesse de l'éclair. Mon père me tient très fort. Je sens son souffle rapide dans mon cou alors qu'il me transporte vers notre arbre. Là, il me jette sur l'herbe et se plante devant moi, les jambes écartées, avec son air des mauvais jours. Sa colère me tombe dessus comme la foudre.

— Je t'avais dit de ne pas t'éloigner de moi, non ? Tu voulais jouer avec eux, n'est-ce pas ? Tu y tiens absolument ? Eh bien, appelle-les ! On verra s'ils viendront. Si tu penses qu'ils ont du temps à perdre avec une petite *niaiseuse* comme toi... Je m'en fous, mais tu vas t'arranger toute seule pour rentrer à la maison.

Sur ce, il s'en va. Je le regarde s'éloigner, je suis complètement démunie. Papa m'abandonne. Je me relève et emprunte le même chemin que lui. Je l'appelle en criant ou en pleurant, je ne sais plus. Mais bientôt, ma voix n'est plus qu'un râle.

Soudain, il surgit de derrière un arbre. Je me remets à pleurer en le voyant, de soulagement cette fois. Il se penche, ouvre grand les bras et je cours m'y réfugier. Nous reprenons le chemin de la maison sans rien dire. Tout au long du parcours, je tiens papa solidement par le cou et je retiens de gros hoquets.

Pendant deux jours, il ne m'adresse presque pas la parole. J'ai mal au cœur et j'ai la gorge nouée. Chaque tentative de rapprochement se solde par un échec.

Au matin du troisième jour, ses caresses et ses baisers me réveillent. Il chuchote que tout va bien, qu'il n'est plus fâché contre moi. Sa voix est la plus belle chose qui soit au monde.

— C'est pour ton bien, Aube. Il faut écouter papa quand il te dit quelque chose. Il ne nous reste pas beaucoup de temps à passer ensemble. Bientôt, je vais devoir aller travailler sinon ta mère va se fâcher. Il faut que tu comprennes que quand tu veux jouer avec les autres enfants, c'est comme si tu me disais que tu ne voulais plus jouer avec moi. Et ça, ça me fait de la peine. C'est ce que tu veux ?

— Je m'excuse. Je ne veux pas te faire de la peine.

Je m'agrippe à lui. J'ai l'impression que s'il me lâchait, je me noierais, là, au beau milieu de mon lit. Ces derniers jours ont été terribles... Je me jure de ne plus jamais lui causer du chagrin.

■

J'aurai bientôt cinq ans ! Selon papa, c'est un âge important. Celui où je deviens une grande fille. C'est l'âge aussi, selon maman, où les petites filles entrent à la maternelle. Je vais vérifier cette dernière information auprès de papa.

— C'est triste, mais c'est vrai, me confirme-t-il.

Dans moins d'un mois, je devrai affronter les sauvages.

— Tu ne peux pas dire à la maternelle que je suis malade ? lui dis-je d'une petite voix.

Je souhaite que papa s'apitoie sur mon triste sort. Et pour cela, je prends un air contrit. Je compte aussi sur le fait qu'il ne voudra sans doute pas que j'aille passer mes matinées dans une école, loin de lui.

— Tu seras malade durant toute l'année ?

— Bien oui…

Mon plan semble vouloir fonctionner puisque papa paraît réfléchir très sérieusement.

— Je ne pense pas qu'on me croira, lance-t-il finalement. Et de toute façon, ta mère veut que tu y ailles.

Encore elle…

— Mais je sais lire et écrire !

Cependant, papa n'est pas convaincu. Il m'assure que l'école, ce n'est pas si terrible que ça. Pour me consoler, il me propose un jeu.

— Tu seras mon agent secret. Ta mission sera de me rapporter absolument tout ce que tu verras, ce que tu entendras. Ce que ta maîtresse et les autres enfants te diront. Ce sera amusant. Tu seras la seule à l'école qui aura une mission. Et ce sera notre secret.

Tout excitée, l'Agente 005 passe le reste de la journée à se donner des airs importants. Chaque fois que 005 passe derrière maman, elle lui fait la grimace.

C'est ma fête ! Maman est partie depuis longtemps, en pestant. Son ordinateur a fait des siennes et elle a perdu des données. Elle doit passer la nuit chez sa sœur Josée pour reprendre son travail à zéro. Sa machine ne l'aime peut-être pas. En tout cas, elle aurait bien raison parce que ce n'est pas gentil de s'en aller le jour de mon anniversaire. Papa, lui, reste avec moi.

J'attends que mon prince vienne me câliner. Il entre, il est en pyjama.

— As-tu aimé ton anniversaire ?

— Hun, hun…

Il s'assoit sur le bord de mon lit.

— Ce n'est pas fini. Hé, réveille-toi, tête de plomb ! C'est encore ta fête jusqu'à minuit. Qu'est-ce que tu dirais si je me couchais avec toi ? Je dormirais ici toute la nuit.

— Toute la nuit ? Comme avec maman ?

— Eh bien, oui ! Pourquoi pas ? Tu es une grande fille maintenant, et il faut célébrer ça. Nous aurons notre propre petite fête, rien que toi et moi. Ce sera notre secret. Nous ne le dirons pas à maman.

Toute la nuit ? Super ! Je m'empresse de lui faire une place. Il s'installe et me prend dans ses bras. Dans la pénombre, la joue collée à son flanc, je me dis qu'avoir cinq ans, ce n'est vraiment pas si mal. Je m'endors au son des battements de son cœur.

Un mouvement de va-et-vient me tire du sommeil. J'entends un souffle. C'est sûrement un autre monstre de ma garde-robe qui a réussi à se faufiler jusque dans mon lit. Mais c'est impossible, puisque papa dort avec moi ! D'ailleurs, c'est son souffle que j'entends. Et c'est sa main qui est sur moi, qui me frôle, qui va de mon épaule à mon ventre, en s'attardant sur ma poitrine. Il gémit. Je m'inquiète. Est-il malade ? A-t-il besoin d'aide ? Cherche-t-il à s'assurer que je suis là en me touchant de cette façon ? Fait-il un cauchemar ? Pourquoi fait-il bouger mon lit ainsi ?

— Papa… papa ?

— Chut, ne bouge pas.

Sa voix me parvient, rauque, saccadée. Est-ce qu'il souffre ? Je veux m'asseoir pour mieux le voir. Mais il me retient.

— Attends, attends, ne bouge pas.

— Papa, qu'est-ce que tu as ?

— Rien, rien…

Il pousse un long gémissement, le son de sa voix est étrange. Il me fait peur. Il s'assoit et allume ma lampe de chevet. D'abord éblouie, je le vois distinctement à présent. Il est nu et couvert de sueur. Il a une main entre les jambes. Son regard bizarre m'intrigue. Maintenant, il approche son visage du mien. De son corps, émane une odeur inconnue, qui me fait retrousser le nez. Je dois faire un drôle d'air parce qu'il rit.

Tout à coup, de sa main libre, il s'empare de ma tête. Il pose ses lèvres sur les miennes et m'embrasse longuement, comme je l'ai vu faire avec maman.

— Ma toute petite, murmure-t-il en caressant mon visage. Ma princesse. Mon amour.

Je plonge mon regard dans le sien, espérant vaguement trouver une quelconque explication à tout cet amour.

3
« Eux autres »

C'est aujourd'hui ma première journée d'école. Entre vous et moi, je préférerais rester au lit, j'ai tellement envie de vomir. Je suis encore convaincue que la maternelle est un lieu de supplice où je serai à la merci des sauvages… Je me lève, puisqu'il le faut bien. Je vais tirer le rideau de ma lucarne. Le temps qu'il fait dehors confirme que j'ai raison : le ciel est moche, gris, sale… comme l'école.

Je descends à la cuisine. Le regard complice de papa ne me rassure en rien. J'ai vraiment mal au cœur. J'avale tout de même quelques bouchées de céréales et quelques gorgées de jus d'orange. Cinq minutes plus tard, je me retrouve dans la salle de bains, à dire adieu à mon petit déjeuner.

— Je te l'avais dit que tu allais en faire une névrosée, reproche maman à papa plutôt que de venir m'aider.

Sur le chemin de l'école, il me donne ses dernières consignes :

— Sois sage, mêle-toi de tes affaires et ne laisse surtout pas les autres t'approcher. N'oublie pas que je suis ton meilleur ami, ton seul ami… Tu dois me raconter tout ce qui arrivera. Acceptes-tu ta mission ?

— Je l'accepte, dis-je d'une voix faible.

Ce matin-là, même sa mission secrète ne remonte pas le moral à l'Agente 005.

Mes pires soupçons se confirment dès que nous entrons dans la cour de l'école. Elle est bondée d'« eux autres », des enfants criards et braillards. Pour ajouter à mon drame, je constate rapidement que ma robe à carreaux et mes souliers vernis jurent dans le décor : « Eux autres » portent des tenues décontractées et sont chaussés de souliers de course ou de marche. Je suis leur point de mire à tous. Je le sens, je le sais.

Un homme et une femme viennent vers nous. Ils se présentent. Mon cauchemar se poursuit quand l'homme veut me prendre par la main pour m'emmener Dieu sait où et me séparer de papa. Je proteste en criant. Soudain, j'envoie un bon coup de soulier verni sur la jambe du méchant. Mon propre geste me surprend. Et à la façon dont papa me dévisage, lui non plus n'en revient pas. Il se confond en excuses et se met à genoux pour me parler.

— Aube… commence-t-il en prenant un ton faussement sérieux.

Je sais bien qu'il retient un fou rire ; sa voix a le ton qu'il emploie quand il fait semblant de me chicaner devant maman.

— … tu vas demander pardon pour ce que tu as fait à monsieur le directeur.

J'affronte le regard sombre du directeur qui est accroupi et qui frotte sa jambe. Je balbutie un faible

« M'excuse » et je rabaisse aussitôt les paupières. Le directeur grommelle quelque chose, puis fait signe à l'attroupement de rentrer. Le cirque est fini, on a calmé l'enfant sauvage. J'ai honte de m'être donnée en spectacle. La femme me prend fermement la main pour m'amener vers un lieu que je ne connais pas. On dirait que ma carrière d'élève débute mal…

Dans la classe, je garde les bras croisés et les yeux rivés sur mon coin de table. Autour de moi, on parle, on rit, on gesticule, on dessine ou on joue avec des blocs. J'ose parfois des coups d'œil rapides de sous ma frange, et dès qu'on me regarde, je pique du nez. Au bout d'une heure, on m'ignore. La maîtresse se promène, distribue des sourires, adresse des paroles encourageantes et des compliments. Moi, elle ne vient pas me voir. J'ai envie de pleurer. Je veux rentrer chez moi. Je n'arrête pas de regarder l'horloge sur le mur. Papa m'a appris à lire l'heure.

Tiens, je me demande justement qui d'entre ces « eux autres » sait lire, écrire, compter, épeler ou dire l'heure. À combien d'entre « eux autres » on a confié une mission.

Je les observe franchement maintenant. Il y a une rousse qui louche, un grand brun qui a les cheveux coupés en brosse, une jolie blonde qui porte des vêtements dernier cri, une boulotte qui n'arrête pas de rire, et sa voisine qui porte des lunettes épaisses et laides. Les espionner sera un jeu d'enfant.

— Papa, papa, papa !

Finalement, j'ai survécu à ma première journée d'école. J'ai même été la première à sortir de la classe, avant que la maîtresse ne donne le signal. Papa se tient à l'entrée de la cour et je me précipite joyeusement vers lui. Ah ! qu'il fait bon se retrouver dans ses bras. Quand je pense que je pourrai m'y loger tout l'après-midi ! Je m'y sens tellement en sécurité.

Pour souligner ce jour important, papa m'invite au *MacDo* où j'engouffre des frites à la pelle. C'est fatigant, l'école. Papa rit. Je ris avec lui. Tiens, il y a le soleil qui décide de se mettre de la partie…

— Et puis, comment c'était l'école ?

Maman interrompt la réunion secrète que papa et moi tenons dans ma chambre. J'étais en train de lui rapporter tous les détails de la matinée. Bien entendu, papa m'écoutait très attentivement et me posait beaucoup de questions. Mais voilà que maman nous dérange.

— J'ai frappé un monsieur. Es-tu contente, là ? dis-je d'un ton impatient.

Maman regarde papa, éberluée.

— Quel monsieur ? fait-elle à papa.

— Le directeur, répond-il comme si de rien n'était.

— Aube ! s'écrie-t-elle. T'es-tu excusée au moins ?

— Bien entendu qu'elle s'est excusée ! claque papa. Crois-tu qu'elle a été élevée dans une grange ?

Et les voilà repartis, me dis-je, impuissante.

— Tu veux vraiment que je réponde à cette question ? Parce que autant que je le sache, tu as grandi dans une ferme, non ? Tel père, telle fille…

— Franchement, te trouves-tu drôle ?

— Pas du tout, figure-toi donc ! C'est juste *plate* d'avoir l'impression de déranger tout le monde quand tout ce que je veux, c'est savoir comment ma fille a réussi à passer à travers sa première journée d'école. Je m'excuse d'avoir interrompu vos petits secrets. Je m'en vais, finit-elle en tournant les talons.

J'ai eu le temps de voir que ses yeux étaient remplis d'eau avant qu'elle ne sorte. Je me trouve vraiment affreuse et stupide de lui avoir répondu si méchamment.

— Laisse-la faire ! dit papa. Tu vois bien qu'elle fait sa petite crise pour attirer l'attention. Si tu crois que ça l'intéresse vraiment ce qui s'est passé à l'école... Continue ton histoire. Tu étais en train de me dire que la petite rousse a renversé son pot de gouache sur la grosse qui rit tout le temps...

■

À l'école, les heures s'égrènent à la lenteur des pas d'une tortue. Il me tarde de retourner à la maison pour retrouver papa, qui rentre de son nouveau travail en même temps que je termine l'école. Il dit qu'il a choisi d'occuper un emploi à temps partiel pour passer le plus de temps possible avec moi, sa princesse.

Quant à maman, elle a recommencé à sortir pour travailler. Elle dit qu'elle ne pouvait plus souffrir d'avoir papa dans les jambes à longueur de jour et surtout, de le voir intéressé par des jeux enfantins plutôt que par des occupations d'adulte.

Moi, je me demande pourquoi ils sont ensemble. C'est vrai. Ils se disputent souvent et sont rarement du même avis. Je crois qu'ils devraient divorcer, je ne suis pas sûre qu'ils s'aiment. Grâce à ma mission à l'école, j'ai appris que presque tous les parents des enfants de ma classe s'étaient séparés parce qu'ils ne s'aimaient plus. En tout cas, moi, j'espère ne jamais être grande. Je voudrais toujours être petite et jouer avec papa. Je crois qu'il m'aime plus qu'il aime maman. Il me le prouve parfois.

— Je t'aime parce que tu es légère comme une plume. Je pourrais te porter comme ça jusqu'au bout du monde.

— Est-ce que tu portes maman ?

— Maman est trop lourde. Je la ferais tomber.

■

— Il est beau ton dessin...

Je lève la tête vers celle qui me parle. C'est la grande blonde qui est à la mode. Elle me sourit. Je ne lui réponds pas.

— Tes fleurs ont des belles couleurs. Et le monsieur, c'est qui ?

Je ne veux pas lui répondre, mais je ne voudrais pas qu'elle croit que je suis impolie.

— C'est mon papa.

— Ton papa ! Il est beau.

Mon visage s'éclaire. Je lui réponds avec un sourire.

— Tu ne dessines pas ta maman ?

— Bof... Mon père dit que ma mère est un courant d'air. Je sais pas dessiner un courant d'air.

Elle rit. Dans le fond, elle est plutôt sympathique. Quand je raconterai mon avant-midi à papa, je ne dirai pas de mal de cette fille.

— Veux-tu jouer avec nous ?

Ça alors ! Elle m'invite à jouer avec ses amis ! Mais ils n'ont pas l'air très emballés par sa proposition ; l'un d'eux va jusqu'à la pousser du coude et à lui dire de ne pas m'inviter parce que je suis une sauvage. Mais elle fait comme si elle n'avait rien entendu.

— Alors, Aube, tu viens, oui ou non ?

Elle connaît mon prénom ! Je toise les amis de Yannick du regard en me rappelant ce que papa m'a dit d'eux. Mais la tentation est trop forte.

Le rapport que je fais ce jour-là à papa lui déplaît. Il est fâché. Contre moi. Il parle à maman, mais m'ignore complètement. Il ne me répond pas quand je lui pose des questions. Maman aussi s'interroge ; ses sourcils sont souvent en accent circonflexe. Le pire, c'est que je n'arrive pas à savoir ce que j'ai fait de mal. Je m'endors le soir, le cœur gros, en sachant fort bien qu'il ne viendra pas me retrouver...

— Petite conne, réveille-toi !

Deux bras me saisissent. On me tire du lit.

— Petite conne.

Est-ce que je rêve ? D'où cette voix provient-elle ? Je ne rêve pas, on me bouscule bel et bien.

— Papa ! Papa ! dis-je, encore engourdie de sommeil.

Car c'est effectivement lui qui me parle ainsi. Je peux le distinguer malgré l'obscurité.

— Ta gueule ! Tu n'es qu'une petite conne ! Es-tu contente ? Tu as de nouveaux amis. Aimes-tu quand je ne te parle pas ? Veux-tu que j'arrête de te parler pour de bon, pour toujours ? On fait comme tu voudras.

— Papa, non !

Il me fait mal et ses yeux sont méchants. Je n'ai jamais eu aussi peur de lui. Tout à coup, il me jette sur le lit. Je n'ai que le temps de me rouler en boule, de me coller contre le mur, avant qu'il ne me saisisse à nouveau. Je veux crier, mais il plaque une main contre ma bouche. Aussi soudainement qu'il m'a agressée, il me serre dans ses bras et m'embrasse partout. Maintenant il pleure en me demandant pardon.

— Je t'aime tellement, ma petite princesse. Je ne veux pas te perdre.

Moi aussi, je pleure. Nous nous accrochons l'un à l'autre et c'est en larmes que je m'endors dans ses bras.

Le lendemain, quand papa vient me chercher à l'école, il me demande de lui montrer qui est Yannick. Je la pointe du doigt. Il avance vers elle et lui ordonne d'une voix dure de ne plus jamais me parler. Sinon… Après m'avoir lancé un regard surpris, elle s'enfuit en courant vers l'auto de sa mère. Pendant ce temps, papa revient vers moi puis m'entraîne brusquement vers sa voiture.

Nous roulons en silence pour finalement nous arrêter devant un grand magasin. Nous entrons, empruntons l'escalier mobile et nous rendons, étonnamment, au rayon des jouets. J'ai cinq minutes pour en choisir un. Je prends une poupée.

Nous filons vers la maison à toute allure. Avec ma nouvelle poupée dans les bras, j'oublie Yannick.

Le jour suivant, Yannick se tient loin de moi. Je la vois parler dans l'oreille de ses amis qui rient en me regardant : « On te l'avait dit » ; « Tu perdais ton temps » ; « Une vraie sauvage » ; « Elle ne sait pas vivre », disent-ils.

Je ne sais pas vivre, moi ? Qu'est-ce que ça veut dire au juste ? Peut-être ont-ils raison. N'empêche que je suis triste de voir Yannick s'amuser sans moi.

Heureusement, papa n'est plus fâché.

4
Les jeux interdits

L'agente 005 a été promue à un grade supérieur. Elle a six ans et est maintenant en première année du primaire. Elle s'appelle désormais Agente 006. Le rapport quotidien qu'elle présente à son chef chaque après-midi en rentrant de l'école est routinier : La maîtresse est correcte, les « eux autres » lui parlent rarement, et elle-même n'a jamais de problème.

Mais à vous, je peux bien le dire, les journées à l'école sont plutôt longues. La maîtresse, madame Poirier, se préoccupe de moi, me parle et me questionne, mais je reste murée dans mon silence. J'ai trop peur des conséquences que pourrait avoir un rapprochement. Comme j'ai de bons résultats, elle finit par me laisser tranquille.

Pour passer le temps, je voyage vers la lune. Il arrive aussi que certains « eux autres » me demandent de l'aide. Ça, je peux le faire. Je suis assez douée. La sauvage n'est pas une arriérée!

Yannick me manque. Elle fréquente maintenant l'école privée. Je l'ai su parce qu'un jour, j'ai pris mon courage à deux mains et j'ai demandé à un de ses amis s'il savait où elle était. Je regrette ce qui est arrivé entre elle et moi et je voudrais tant qu'elle le sache. Mais je ne la reverrai jamais. Il ne me reste plus, pour apaiser ma peine, qu'une photo de groupe que je regarde souvent : Yannick a un sourire grand comme ça et elle a passé son bras autour des épaules d'une petite au vi-sage rempli de taches de rousseur.

■

J'ai sept ans et nous allons avoir un nouveau bébé. C'est toute une nouvelle ! Apparemment que maman vit « un début de grossesse difficile » et que c'est pour cette raison qu'elle passe beaucoup de temps chez sa sœur, ma tante Josée. Je ne me plains pas trop de ses absences, j'ai papa pour moi toute seule plus souvent.

D'ailleurs, il nous a inventé de nouveaux jeux dernièrement. Non pas que nous délaissions nos vieux contes — je suis toujours sa princesse, et lui mon cra-paud —, mais maintenant, il y a le jeu de *La demoiselle chic* : je me cache dans la garde-robe de maman pour en ressortir au bout d'une éternité complètement trans-formée en star. Je parade devant papa qui m'applaudit. Il m'invite à danser. Et nous valsons, valsons, jusqu'à ce que j'aie la tête qui tourne. Nous dessinons des tour-billons merveilleux qui me font oublier les rires de mes compagnons de classe et la moue désapprobatrice que me sert la maîtresse quand je ne lui réponds pas.

Papa me dit que je suis la plus belle. Je rosis de fierté. Les garçons de ma classe, eux, ne me trouvent pas jolie…

Quand maman couche chez sa sœur, papa vient me retrouver dans mon lit. Ici aussi il m'apprend de nouveaux jeux. Il touche son machin rose et m'incite à faire de même avec le mien, qui est beaucoup plus petit et qui ressemble à un jujube. Il me dit que je dois le caresser doucement et que si je sais comment m'y prendre, je me sentirai très bien.

— Frotte avec tes doigts doucement, dit-il en prenant ma main pour guider mon geste. Va et viens, comme ça, voilà. Tu fais très bien ça.

— Ça chatouille. Pourquoi est-ce que ça chatouille ?

— Je t'expliquerai tout ça quand tu seras plus grande. Puis en riant doucement, il me dit : Je peux goûter à ton jujube ?

C'est à mon tour de rire, mais quand il pose sa langue entre mes jambes, je retiens mon souffle et cache ma tête sous l'oreiller.

— Ça goûte vraiment comme un jujube, un jujube à la framboise. Quand tu seras plus grande, je te laisserai goûter au mien.

— Il goûte quoi, le tien ? dis-je en ressortant de sous le coussin.

— La fraise ! répond-il joyeusement.

J'adore les fraises ! J'ai très hâte d'être plus grande.

Plus tard dans le noir, il me répète qu'il m'aime, et que l'arrivée prochaine de ma petite sœur n'y pourra rien changer. Cela va de soi, non ?

Je lis avec beaucoup de rapidité, et ce, tout ce qui me tombe sous la main ! Parfois, quand papa vient me voir, j'ai de la difficulté à interrompre mes lectures, même si je suis heureuse qu'il soit là. Alors il se fâche et me dit que je commence à ressembler à maman. Je referme mon livre sur-le-champ.

■

L'été est revenu, papa travaille, maman se repose — grossesse oblige — et je m'ennuie.

Quand elle en a assez de moi, ou qu'elle n'a plus besoin que je lui apporte de l'eau, ou du jus, ou des biscuits ou tout ce qu'il y a dans le réfrigérateur, elle m'envoie jouer dans le nouveau parc au bout de ma rue. C'est le seul endroit où elle me laisse aller seule et, croyez-moi, j'aime bien m'y retrouver.

Sauf que depuis quelques jours, deux garçons de ma classe y traînent. Bruno et Carl sont jumeaux, ils sont laids, stupides et dégoûtants. J'essaie de les éviter. Le nez dans mon livre, je m'efforce chaque fois de les ignorer, mais c'est peine perdue.

— Aube, la sauvage, que lis-tu ? me demande Bruno.

— Je ne suis pas Aube la sauvage !

— On peut s'asseoir avec toi ? risque Carl.

Je ne lui réponds pas.

— Elle est bête, hein ? reprend Carl. Tu ne trouves pas qu'elle est bête ?

— Pas mal, oui, affirme Bruno.

— Bon, eh bien ! On s'installe, on fait comme chez nous ! Ça ne te dérange pas ?

Je ne dis rien, mais j'ai la rage au cœur.

Souvent, je veux parler à papa des deux sauvages qui sont devenus mes amis, mais puisque je boude ces temps-ci… D'ailleurs, il me semble que le moment serait mal choisi parce qu'il paraît préoccupé et qu'il est toujours de mauvaise humeur. Les choses vont mal à son travail ; je l'entends souvent critiquer son patron. En plus, et ça c'est nouveau, il s'inquiète pour maman. Il m'a tant de fois répété qu'il ne l'aimait pas. Pourquoi l'entoure-t-il de tous ces soins ? Je suis jalouse tout à coup.

Je suis jalouse et plus certaine de rien. Cette petite sœur qui vient va tout chambarder dans nos vies. Déjà, papa s'éloigne de moi. Il a menti. Il m'abandonne. Rien ne sera plus comme avant. Je voudrais que maman perde le bébé…

Un beau matin, Bruno, Carl et moi découvrons une chatte sous un buisson. Six petites boules sans poils sont nichées contre son ventre. Je n'ai jamais rien vu d'aussi beau. Je tends ma main pour les caresser, mais Bruno interrompt mon élan.

— Touche pas ! La mère n'aime pas quand des humains touchent ses bébés.

— Tu sais d'où viennent les bébés, Aube ? me demande Carl.

— Du ventre de leur mère, voyons. Tout le monde sait ça !

— Oui mais, par où passent-ils ?

Je ne sais que répondre.

— Nous, on a l'habitude des naissances, affirme Bruno. Notre père est vétérinaire. On en voit souvent. On peut tout t'expliquer.

Il prend des airs importants. Ça m'embête un peu.

— Tiens, mademoiselle-je-sais-tout, continue-t-il, je

gage que tu sais même pas c'est quoi un vagin !

— Oui, je le sais !

— C'est quoi ? Hein ?

— C'est… heu !

— Ha ! ha ! fait Bruno.

— Si tu es si fin que ça, dis-le moi ce que c'est !

Je n'ai rien trouvé d'autre pour me défendre.

— D'abord, commence Bruno, les bébés sortent des vagins, après que le monsieur a mis son pénis dedans.

Quoi ? C'est absurde ! Mais pour ne pas avoir l'air sotte, je hoche la tête, comme si j'étais d'accord avec lui.

— Tu as déjà vu un pénis ?

— Oui !

Je ne suis pas peu fière de ma réponse.

— Menteuse ! disent-ils en même temps.

— Je ne suis pas une menteuse !

Ils rient comme des singes. Je les trouve idiots.

— J'ai un jujube.

Voilà qui devrait leur clouer le bec. Et j'ai pris un ton pompeux pour leur annoncer ça.

— Un quoi ? font-ils, l'air ahuri.

— C'est à mon tour de rire de vous deux. Vous ne savez pas c'est quoi, un jujube ? Je vais vous le montrer.

Aussitôt dit, aussitôt fait. Je relève ma jupe, baisse ma culotte et leur montre mon jujube. Ils sont tout excités et se penchent pour regarder de plus près. Puis Bruno baisse son jean.

— Ton jujube est plus petit que mon pénis ! dit-il d'une voix hautaine. Regarde mon pénis !

— J'ai déjà vu ça !

— Je ne te crois pas, réplique Bruno.

— Celui de mon père est plus gros que le tien.

— Tu as vu le pénis de ton père ? rétorque-t-il, les yeux ronds. Mais tu es une vraie cochonne !

— Je ne suis pas une cochonne !

— Y as-tu touché ?

Je choisis de me taire. Je ne sais pas quoi leur répondre. Si je dis la vérité, vont-ils me traiter de noms ?

— Tu l'as touché ! Je te gage que tu l'as fait ! Comment as-tu fait ça ?

Ils rient aux éclats tous les deux, comme s'ils ne savaient faire que ça. Je voudrais m'en aller mais, c'est plus fort que moi, je dois montrer à ces deux imbéciles ce que je sais faire. Je tends la main vers Bruno.

Soudain, nous entendons des pas. On vient vers nous ! Je retire ma main, mais il est déjà trop tard, des branches ont été écartées et papa est là, imposant dans toute sa hauteur. Il est bleu de rage. Les deux garçons se lèvent en criant, Bruno remonte son pantalon et ils se sauvent en courant.

— Petits cochons ! leur crie papa. Petits dégueulasses ! Je vais vous tuer ! Bande de pervers !

Quand il se retourne vers moi, je perds connaissance...

5
Laure

Tout arrive en même temps : la colère de papa et la naissance de Laure.

Depuis qu'il m'a surprise avec Bruno et Carl, il y a une semaine, papa m'ignore. Je voudrais pouvoir lui expliquer que je m'ennuyais toute seule, que sans lui pour jouer le jour, j'avais besoin d'amis. Lui expliquer aussi que je voulais être comme les autres enfants de mon école, que je voulais m'amuser ; que si je me suis retrouvée dans une situation pareille, c'est à cause de son stupide règlement et qu'en fait, tout est sa faute : s'il ne veut pas que j'aie des amis, il n'a qu'à être là.

Maman ne m'est d'aucune aide. Au contraire. Elle continue de me prendre pour sa servante et en plus, papa la soutient. « Fais ce que ta mère te dit », m'ordonne-t-il quand j'ose rechigner. Décidément, personne ne m'aime dans cette maison !

Laure s'en vient ! Papa m'envoie en taxi chez ma tante pour le temps que durera l'accouchement. Je débarque chez elle en boudant. Avec sa bonne humeur habituelle, elle me vante les mérites d'une petite sœur en lançant des « Moi, ma sœur ci…, moi ma sœur ça…» remplis d'enthousiasme. Malgré tous ses efforts, elle est loin de me convaincre. L'idée que ma sœur puisse ressembler à ma mère ne fait qu'amplifier mon angoisse. Et puis, si mon père me laissait chez ma tante pour toujours ? S'il en profitait pour quitter le pays avec maman et Laure sitôt que cette dernière serait née ? Il pourrait alors commencer une nouvelle vie avec une petite fille qu'il aimerait plus que moi…

Le lendemain, résignée à mon triste sort, je suis transportée de joie lorsque papa vient me chercher. Il m'annonce que ma petite sœur est pétante de santé et qu'elle est déjà à la maison avec maman. Je suis tellement soulagée qu'il ne m'ait pas abandonnée que j'oublie d'être déçue par la « bonne nouvelle ».

Dès que nous entrons dans la maison, je cours à la chambre de Laure qui est située au rez-de-chaussée, près de celle de papa et maman. Je me demande pourquoi on ne l'a pas installée sous les combles elle aussi, comme moi. Il y a pourtant une pièce qui ferait une très belle chambre…

Je me penche sur le berceau : Ma petite sœur est minuscule.

Papa arrive dans la chambre à son tour et prend Laure dans ses bras. « Ma petite princesse, mon petit amour, » lui dit-il en me regardant du coin de l'œil pour guetter ma réaction. Mon sourire s'efface : C'était moi, sa petite princesse, son petit amour, il y a des siècles déjà. Papa m'aimait alors et il s'occupait de moi. C'est Laure qu'il aimera maintenant, c'est pour Laure qu'il décrochera la lune. Il n'a plus besoin de moi.

Je la déteste d'un seul coup, cette intruse, qui est dans MA maison, qui veut me voler MON père.

Mais je ne la laisserai pas faire. Ça non ! Je ne suis plus la plus petite, ici. J'ai des droits et des privilèges en tant qu'aînée. Gonflée de ma propre importance, je me frotte les mains en pensant aux mauvais tours que je lui prépare. Qu'elle essaie de me prendre mon père, juste pour voir.

■

Nous sommes le 2 août et c'est le jour le plus triste de toute ma vie. Papa continue de m'ignorer, même aujourd'hui, le jour de mon anniversaire. Je n'ai droit à aucun souhait, aucun bisou de la part de celui qui, chaque année, se faisait une si grande joie de me fêter.

Je pleure toute seule dans ma chambre. Quand maman vient me consoler, je me blottis contre elle avec le vague espoir de l'attendrir et de la gagner à ma cause. Mais lorsque papa arrive avec une Laure qui braille à vous percer les tympans, maman m'oublie.

Ce qu'elle peut être emmerdeuse, ma sœur ! Mes parents, eux aussi, en ont sûrement assez de son vacarme. Mais non ! Ils se disputent pour savoir qui d'entre eux tiendra le bébé. Voyez-vous ça ! Ma mère qui avait tout juste le temps de me jeter un regard à l'occasion ! Mais qui, pour Laure, a cessé de travailler, question de s'occuper d'elle à temps plein.

Elles sortent de ma chambre. Maintenant seule avec papa, tous mes espoirs renaissent. Je le regarde avec mille attentes dans les yeux.

— J'ai une nouvelle princesse maintenant, commence-t-il en souriant sournoisement. Une petite fille gentille qui aime son papa et qui lui obéira tout le temps, ELLE.

Quelques jours avant la rentrée, je verse un verre d'eau dans le berceau de Laure endormie. Elle se réveille en hurlant à en perdre les poumons. Maman surgit alors, voit le dégât et se met dans une colère terrible. Je cours me réfugier dans ma chambre. Maman, elle, court tout rapporter à papa. Quelques instants plus tard, il est devant moi, l'air mauvais. Il me saisit par les épaules et me secoue comme un pommier.

— Pourquoi tu as fait ça, hein ? Pourquoi ? crie-t-il.

J'éclate en sanglots, non de peur, mais de soulagement. Papa ne m'ignore plus.

— Tu aimes Laure maintenant, et pas moi.

— Aube, voyons ! Tu sais bien que je t'aime ! Tu seras toujours ma princesse, dit-il sur un ton plus doux en dégageant mes épaules.

— C'est pas vrai ! C'est elle, ta princesse. Tu l'as dit !

— Voyons ! Je disais ça parce que tu m'as fait de la peine, c'est tout. J'ai parfois l'impression que tu ne m'aimes pas. Tu n'écoutes pas ce que je te dis, alors…

— Mais je n'ai rien fait ! C'est eux qui voulaient jouer avec moi.

— Aube, ne me raconte pas d'histoires. Ne mets pas ta faute sur le dos des autres. Qu'est-ce que tu as fait avec eux ?

— Rien ! Ils voulaient que j'y touche, mais moi, je ne voulais pas.

— Je t'ai vue, Aube, les culottes baissées. J'avais tellement honte. Ma princesse qui baissait ses culottes pour des petits morveux. Je ne veux plus que tu joues avec eux, c'est clair ? Ni avec personne d'autre !

— Ils ont dit que je suis une cochonne parce que j'ai vu ton pénis.

Un éclair traverse ses yeux.

— Il ne faut jamais dire ça à personne, insiste-t-il gravement. C'est notre secret.

— Est-ce que je suis une cochonne ?

— Ce sont eux, les cochons. Toi, tu es ma petite princesse. Si jamais quelqu'un te reparle de cette histoire, tu diras que tu as vu mon pénis parce que tu m'as surpris dans la douche, O.K. ?

— O.K., mais pourquoi c'est mal de voir ton pénis ?

— Ce n'est pas mal. C'est notre secret, c'est tout. Ça ne regarde personne. Tu vois, c'est ça des amis : ça sert seulement à se mêler de tes affaires pour ensuite te planter un couteau dans le dos. Tu ne dois plus jamais me désobéir. Quand je t'ai vue avec ces deux petits...

Sa voix s'étrangle. Il pleure !

— Ne pleure pas ! Je ne le ferai plus jamais, c'est promis ! Je m'ennuyais, c'est tout. J'avais personne avec qui jouer. Tout le monde s'occupait de Laure dans le ventre de maman et pas de moi...

Papa me serre tout contre lui. J'oublie tout. Puis je risque une autre question, d'une voix à peine audible :

— Tu es sûr que tu n'aimes pas maman et Laure plus que moi ?

— Jamais de la vie ! Mais il faut bien que je m'occupe d'elles. Ta mère ne peut rien faire sans moi. Tu seras toujours ma préférée, ma petite princesse.

— Pourquoi maman aime Laure plus que moi ?

— Parce qu'elle est jalouse de toi. Quand tu étais

petite, elle ne voulait même pas te changer de couche. Tu te souviens ? Mais tu n'as pas besoin d'elle. Tu as ton papa qui t'aime plus que tout au monde.

Je le crois. Maintenant tout va bien. Je suis heureuse.

Il vient me voir cette nuit-là. Il ne reste pas longtemps. Quand je lui demande pourquoi, il me répond qu'il ne veut pas réveiller maman et Laure. Je suis tout de même contente qu'il soit là. Tout redevient comme avant. Laure ne me le volera pas. Il me caresse et m'embrasse. Il ne me montre pas son pénis. Je ne lui demande pas pourquoi.

■

L'école a repris, je suis en troisième année. Carl et Bruno ne sont pas dans ma classe cette année. Nous nous croisons parfois dans les corridors ou dans la cour de l'école, et chaque fois, ils ne me regardent pas. C'est comme si nous ne nous étions jamais connus. Mais je ne peux pas les blâmer. Mon père a dû leur faire une de ces peurs ! De toute façon, je n'ai pas le droit de leur parler et dans le fond, leur froideur tombe bien.

Malheureusement, l'épisode du parc est parvenu aux oreilles de quelques élèves.

— Aube, qui a vu la queue de son père... scandent-ils sur mon passage.

J'ai beau préciser que c'est arrivé par accident dans la salle de bains, ils continuent de rire. Mais ils peuvent bien rigoler, ils ne me fournissent qu'une raison de plus pour ne pas leur adresser la parole.

■

Mes huit ans, puis mes neuf ans se déroulent paisi-
blement, dans l'indifférence généralisée.

■

Je vais avoir dix ans ! Moi, j'aurai dix ans ! Dorénavant, comme tous les gens importants, j'aurai deux
chiffres à mon âge. On va enfin me prendre au sérieux.
Papa dit qu'à dix ans, je ne suis plus une enfant. Il dit
aussi qu'il me réserve une très grande surprise. J'ai
hâte, j'ai hâte, j'ai hâte… Il ne me reste que quelques
jours à patienter. Le compte à rebours est commencé.

Le 2 août, un drame éclate. Ma sœur se blesse en
tombant de la balançoire du jardin. Elle s'en tire avec
une légère bosse sur la tête, mais maman est dans tous
ses états. Elle en veut à papa qui a laissé Laure sans
surveillance et elle exige qu'il les conduise à l'hôpital.
Mais il refuse en lui rappelant que c'est aujourd'hui
mon anniversaire.

— Et puis ? demande maman tout en couvrant Laure
de baisers.

— Et puis ? Mais je ne veux pas qu'Aube passe le
jour de sa fête à l'hôpital !

— La journée ! Tu ne crois pas que tu exagères un
peu ? Ça prendra une heure, deux tout au plus !

— Avec toi, on ne sait jamais. Tu vas vouloir que
Laure passe tous les tests possibles et imaginables.

— Tu n'es qu'un crétin. J'appelle ma sœur. Et je
t'avertis tout de suite, Laure et moi irons chez Josée en
sortant de l'hôpital. Et nous y resterons. Tu pourras

fêter Aube tant que tu voudras, sale égoïste !

Je ne sais pas quoi penser. Papa, un égoïste ? C'est plutôt elle, l'égoïste ! Elle s'en va, comme si de rien n'était, comme si avoir dix ans n'avait aucune importance.

— Bon débarras ! crie papa une fois que la moitié de notre famille est partie pour l'hôpital.

Papa a raison : Bon débarras ! Et j'ajoute ceci : Merci de ton égoïsme, maman !

— Viens Aube, il est temps de te préparer pour ta surprise, me dit papa l'air soudainement plus joyeux.

— Où sommes-nous ?

Je regarde autour de moi avec curiosité. Je ne suis jamais venue ici. Nous roulons vers ma surprise. Papa rit de mon impatience. Nous arrêtons bientôt devant une immense bâtisse blanche éclairée par une affiche géante en néon. Le mot « motel » brille de tous ses feux.

— C'est ici ma surprise ?

— Mais attends donc ! Arrête de poser des questions ! Attends-moi ici, veux-tu ?

Papa sort de l'auto, fait quelques pas vers la porte d'entrée, puis disparaît. Je me demande quelle surprise m'attend. Papa fait tant de mystères ! Peut-être que maman et tante Josée m'ont préparé une fête et que l'hôpital n'était qu'un prétexte pour brouiller les pistes ? J'ai hâte de voir si la bosse de Laure a disparu. Tiens, il y a papa qui arrive en brandissant une clé.

— Voilà ! me lance-t-il en remontant dans la voiture. C'est notre nid pour cette nuit !

— Nous allons coucher ici ?

Je pense rapidement que c'est une bonne idée et que ça nous fera du bien à tous de changer de décor.

— Eh oui ! Surprise ! Ta première nuit dans un motel ! C'est excitant, non ? Nous allons passer une soirée en tête-à-tête. J'ai placé plein de bonnes choses à manger dans le coffre de la voiture. Nous allons nous amuser !

— Une soirée en tête-à-tête ? Pourquoi ? C'est quoi ?

— C'est une occasion spéciale pour les gens qui s'aiment beaucoup, comme toi et moi.

— Avec maman, tante Josée et Laure ?

— Non.

Je ne sais pas pourquoi, mais je n'aime pas la tournure des événements. Est-ce la façon dont papa a répondu non à ma question qui me dérange à ce point ? Ou est-ce le silence mortuaire qui nous enveloppe ? Les fêtes, c'est fait pour chanter, danser, formuler des vœux en soufflant sur les bougies d'un gâteau, lancer des serpentins et ouvrir des cadeaux. Les fêtes, ce n'est pas fait pour se faire répondre non ou pour se retrouver dans le stationnement d'un motel au milieu de nulle part.

Enfin, puisque papa m'aime et qu'il a mis plusieurs jours à préparer ma surprise, je décide de chasser ces idées et de forcer ma bonne humeur.

— Un tête-à-tête, c'est pour les filles et leur père ?

— Oui, c'est ça, répond papa, plus heureux. Mais c'est seulement toi et moi qui en avons. Les autres pères n'en ont pas avec leurs petites filles parce qu'ils n'ont pas le temps. Et ils ne les aiment pas comme moi je t'aime. Alors, il ne faut en parler à personne pour ne pas rendre les autres jaloux. Et surtout pas à maman. Compris ?

J'ai compris. J'ai l'habitude.

Il démarre la voiture et nous roulons lentement jusqu'à la porte numéro 16. Nous nous arrêtons. Nous descendons, papa insère la clé dans la serrure de la porte, puis d'un geste grandiloquent, me tire la révérence. Tout à coup, il me prend dans ses bras. Je ris. Mes craintes s'envolent aussi sûrement que je suis bien avec lui.

Papa referme la porte derrière nous et avance vers le lit en me regardant dans les yeux. Il me dépose, reste penché sur moi, caresse mon visage. Il a son air sérieux des moments solennels. Je ne peux m'empêcher d'éclater de rire.

— Chut, Aube, dit-il en secouant la tête tout en saisissant la mienne. Ce soir, tu seras une grande fille. MA grande fille...

À l'instant précis où mon père me pénètre, l'enfant en moi disparaît. La douleur physique, comme une décharge électrique lancinante, lève subitement le voile sur de vieux souvenirs. Les belles mains fortes de papa me chatouillent, me caressent, me donnent le biberon, changent ma couche. Sa voix chuchote : « Chut, je suis là ! »

La petite mendiante que je suis, celle qui quête l'approbation et qui surveille les humeurs de son dieu, se replie. Les jeux qu'elle croyait jusque-là innocents, la sensualité de son enfance à saveur de jujube à la framboise et à la fraise, les mensonges de son père lui font courber l'échine.

Avec le déchirement de sa chair, il y a celui de son âme. Aube s'éteint lentement, tanguant au rythme du va-et-vient de son père sur son corps d'enfant...

6
La petite fille à papa

J'ai mal, j'ai tellement mal... Nous sommes revenus à la maison aux petites heures du matin. Maman n'était pas encore rentrée. Je me suis réfugiée dans ma chambre où je me suis roulée en boule, dans un coin.

Mon regard s'attarde maintenant sous mon lit où sont entassés mes vieux jouets. Je repense à mon ourson préféré, rangé là parce que je me jugeais déjà trop vieille pour le garder. J'ai envie de le bercer tout à coup. Je rampe sous le sommier malgré la douleur que je ressens au ventre et je cherche à tâtons. Ourson, ourson, où es-tu ? Il est introuvable. J'éclate en sanglots. Là, je le sens. Soulagée et reconnaissante, je le pose sur mon ventre pour ensuite me replier autour de lui.

Mais qu'est-ce que je fais sous mon lit ? Y ai-je passé la nuit ? On ne peut pas dire que mes dix ans commencent tout en sagesse. Je me tire de sous mon lit et je remarque que les draps ne sont pas défaits. Vraiment, je ne comprends plus rien à rien.

Encore engourdie de sommeil, je descends l'escalier, me rends à la cuisine. Laure m'accueille en poussant des cris, maman se contente d'un signe de la tête. Je les ignore, je suis occupée à regarder papa fixement. J'ai peur soudainement, sans savoir pourquoi. Je passe derrière lui pour l'éviter, mais il me saisit le bras et me retient. Il me regarde durant de longues secondes, sans mot dire. Je voudrais me dégager, mais je n'ose pas bouger. Puis, il me laisse enfin.

Papa entre dans ma chambre. Je me suis recouchée, sur le lit cette fois, et je serre mon ourson contre moi. Je ne comprends pas l'affection soudaine que je lui porte. Il y avait des années qu'il traînait sous mon lit. Papa semble surpris aussi de voir l'objet dépoussiéré.

— Tu recommences à jouer avec ton vieil ourson maintenant ?

Je n'ai pas envie de lui parler.

— Tu sais, tu es un peu grande pour ce genre de jouet. Tu as dix ans maintenant. Tu es ma grande fille.

Un déclic s'opère et pour la première fois de ma vie, je sens le bouillon d'une révolte s'agiter en moi.

— Je ne suis pas ta grande fille !

— Mais oui, tu l'es. Tu as eu dix ans. Tu te souviens…

Il ne termine pas sa phrase. Il a l'air confus. Puis l'expression de son visage change, il rougit à vue d'œil.

— Donne-moi ça ! s'écrie-t-il en s'attaquant à mon ourson. Tu n'es plus un bébé !

— Non ! C'est à moi ! Seulement à moi !

— Aube, je t'avertis, donne-moi ça tout de suite.

Il tire sur l'ourson, mais je tiens bon. Je me mets à crier comme une possédée.

— Va-t'en ! Va-t'en ! Va-t'en !

Je n'ai jamais franchement crié contre papa avant maintenant. Il est tellement surpris qu'il lâche mon jouet. J'en profite pour rouler contre le mur. Maman arrive sur ces entrefaites.

— Qu'est-ce qui se passe ici ? Aube, pourquoi cries-tu comme ça ?

— Ce n'est rien, Catherine, intervient mon père. Laisse-moi m'en occuper.

La panique m'a fait rugir, j'ai perdu les pédales, j'ai crié « non » très fort. Un premier cri d'alarme que, j'espère, maman saura interpréter. Je ne veux pas lui expliquer, je ne veux pas qu'elle s'en aille, je veux qu'elle devine, qu'elle lise en moi, qu'elle ne me laisse plus seule avec lui.

— Mais qu'est-ce que tu as ? me demande-t-elle, étonnée.

L'écho de mon cri résonne encore dans ma tête. Je reste collée au mur, incapable de lui répondre.

— Catherine, va-t'en, interrompt mon père. Va jouer avec TA fille !

— Celle-là aussi, c'est ma fille à ce que je sache !

— Ah oui ! J'ai bien vu à quel point tu t'en occupes !

— Je peux difficilement le faire quand tu es toujours là pour me barrer la route !

— Arrêtez de vous chicaner !

Je m'enfouis sous les couvertures et couvre ma tête de mon oreiller. Leur conversation me parvient tout de même, je voudrais qu'ils disparaissent tous les deux.

— Elle a l'air d'être fâchée contre toi, TA fille, dit maman. Qu'est-ce que tu lui as fait ?

— Rien !

— T'es sûr de ça ?

— Hé ! Mêle-toi donc de tes affaires, O.K. ? C'est entre ma fille et moi. O.K. ?

— Arrangez-vous avec vos problèmes !

Dès que j'entends maman s'éloigner, je me précipite hors du lit et je cours vers elle. Je m'accroche à sa taille avec l'énergie du désespoir. J'entends la voix de mon père crier mon prénom, je sens les mains de maman se poser sur mes bras. Je la serre de toutes mes forces. Le silence s'installe à peine que maman le brise.

— Tiens, c'est nouveau ça, qu'elle ait besoin de moi ! Elle doit vraiment être fâchée contre toi. Qu'est-ce qu'il y a ma princesse ? fait-elle en imitant la voix de papa. Tu as de la grosse *pépeine* ? *Becquer bobo* ?

Maman n'est plus ma mère. La révolte continue sa marche sur mon cœur.

— Je te déteste !

— Ah ! ça, c'est moins nouveau ! réplique-t-elle. J'y suis habituée. Mais arrête de pleurer comme un bébé. Seigneur, tu ne grandiras donc jamais ? Patrick, occupe-toi de ta fille, puisque tu y tiens tellement.

Elle sort. Je regarde mon père craintivement, m'attendant au pire. Mais il se contente de sortir à son tour, sans un mot ni un regard.

Son indifférence dure un mois. Un long mois que je passe à épier ses moindres gestes. Sa présence me tiraille : parfois, je voudrais fuir à toutes jambes mais plus souvent encore, je crains ses silences.

Sans son amour et son soutien, je ne suis plus grand-chose, je ne sers plus à rien. Je dors le jour, fais des cauchemars la nuit. Je rêve à des monstres qui me poursuivent, à lui qui est penché sur moi et qui me dit que je suis une grande fille. Je me réveille en pleurant parce que je ne veux pas grandir. Je veux être à jamais sa petite fille, sa princesse. Mon ourson ne me quitte plus, mais même tous les oursons du monde ne sauraient me protéger de mes peurs.

Je me réveille souvent sous le lit.

■

Le retour à l'école est pénible. Je n'ai toujours pas d'amis. Il y a bien une nouvelle qui m'a parlé le jour de la rentrée ; elle paraissait gentille et me rappelait Yannick avec ses cheveux blonds et ses beaux vêtements. Mais les autres, qui, même après tout un été n'oublient jamais Aube-la-sauvage, ont tôt fait de la renseigner sur mon compte. Elle ne m'a plus reparlé. Tant pis. Je n'ai que faire d'elle.

Je suis incapable de me concentrer sur le plus petit des exercices. Une brume épaisse voile mes pensées, je me sens peu concernée par ce qui se passe autour de moi. La maîtresse nous demande de résumer les aventures de nos vacances. Je remets une feuille blanche.

■

Plus le temps s'écoule, plus les retours à la maison me sont difficiles. Chaque fois que j'aperçois la demeure familiale en arrivant au coin de la rue, je m'arrête net de marcher. Les disputes de mes parents, les cris de Laure, et surtout papa qui me bat froid, je n'en peux plus. La maîtresse m'a annoncé qu'elle téléphonerait à mes parents ; mes notes sont en chute libre. Papa aura une nouvelle raison d'être fâché contre moi. Et si je ne rentrais pas ? Si je me sauvais ? Je décide d'aller réfléchir à cette possibilité dans le parc.

Ouais ! Me sauver. Belle idée. Sauf que je risque de me perdre ou de mourir de faim. Et si mon père ne me retrouvait jamais ? Je m'endors sur le banc, bercée par mes sombres pensées.

Une voix me tire du sommeil. Celle de mon père ? Il me secoue, et je me rends compte, lorsque je suis bel et bien réveillée, qu'il continue de le faire parce qu'il est en colère.

— Qu'est-ce que tu fais ici ? Ça fait des heures que tu devrais être rentrée de l'école ! Je te cherche partout ! Et mademoiselle, pendant ce temps-là, dort tranquillement sur un banc de parc !

Il me regarde, il ressemble à un oiseau blessé malgré ses grands airs.

— Aube ? fait-il d'une voix lasse. Tu ne m'aimes plus ? Pourquoi es-tu si méchante avec moi ? Tu me fais de la peine. Tu ne veux plus être ma fille ?

— C'est toi qui es fâché contre moi. Tu ne me parles même plus !

— Mais c'est ta faute.

— Pourquoi ?

— Parce que tu ne veux plus être ma petite fille.

— Ce n'est pas vrai ! Je veux être ta petite fille, pour toujours.

La rancœur que j'ai cultivée pendant plus d'un mois s'envole en un instant. L'instant d'un sourire de papa. Je me mets à pleurer. Tout est ma faute. J'ai été méchante. Je le regarde, les yeux suppliants. Il s'assoit en silence et me prend délicatement dans ses bras. Mes dernières gardes tombent, je suis encore sa petite fille. D'une voix timide, je lui dis :

— Papa, la maîtresse va téléphoner parce que je n'ai pas des bonnes notes.

— Ne t'inquiète pas. Je vais m'en occuper, moi, de ta maîtresse.

J'ai encore mon papa et il va tout arranger ! Heureusement qu'il m'aime, autrement je serais dans le pétrin. Peut-être que ce soir, je ne ferai pas de cauchemars.

— J'ai parlé à ta maîtresse, m'annonce papa au moment de me border. J'ai tout arrangé avec elle. Elle va te laisser tranquille. Tu n'as qu'à faire un petit effort et c'est tout. Es-tu contente ?

Et comment ! Quelle libération !

— Je vais rester avec toi si tu le veux bien.

Il s'étend près de moi et caresse mes cheveux. Après quelques minutes, il enlève son pantalon. Mon cœur s'emballe. Papa s'en rend compte. Il me parle d'une voix douce tandis que sa main attire la mienne sur son pénis. J'ai un brusque geste de recul. Papa ne dit rien. Il pose sa main sur son sexe en me souriant et il commence son va-et-vient. Il me dit que c'est bon et m'encourage à faire de même avec mon jujube.

— Ma petite princesse, tu peux rester ma petite fille toute ta vie, si tu veux. Je t'aime mieux comme ça. Tu n'es pas obligée de devenir une grande fille. Mais tu seras toujours gentille avec moi, hein ? Ton papa t'aime et te protège.

Ces mots sont si doux ! Je suis sa petite fille ! À

compter de maintenant, je lui serai toujours obéissante.

Sa respiration reprend un rythme normal. J'ai l'impression d'être dans un rêve. Il se met alors à masser
mon corps tout en continuant de me parler avec
douceur. Mon cœur continue de s'affoler, mais je garde
le sourire. Je ne veux pas causer de peine à papa, je ne
veux pas qu'il sache que j'ai encore si peur. Mon sourire
lui suffit, il m'embrasse et me quitte.

— Je reviendrai demain soir si tu es gentille,
promet-il.

Cette nuit-là, la porte de ma garde-robe s'ouvre sur
mes amis les monstres.

■

Papa revient me voir chaque nuit. Maintenant, je
frotte son pénis aussitôt qu'il me le demande. Il me dit
que je suis très bonne et qu'il est très fier de sa petite
princesse.

Un soir, il m'ordonne de fermer les yeux et de ne
plus bouger. Mon corps se raidit au contact du sien,
puis quelque chose entre en moi. Je retiens un cri de
douleur pendant que des images m'envahissent : une
chambre et un lit inconnus, les gémissements de papa,
une douleur qui ressemble à celle que j'éprouve en ce
moment, mes cris. Puis l'impression de sombrer dans
un gouffre.

■

Aube-la-Terreur, c'est mon nouveau surnom. Je l'ai mérité parce que depuis ces derniers mois, j'en fais voir à tout le monde. Il me prend comme ça des envies de faire des coups pendables et de mettre en application mes idées les plus diaboliques. J'ai recommencé à terroriser Laure. Voici mon coup de maître : Je l'ai enfermée dans l'âtre de la cheminée et je lui ai chanté une chanson de Jean-Pierre Ferland pendant que je brandissais des allumettes :

> « *Fais du feu dans la cheminée,*
> *J'ai un gros tas à bruler… »*

Ce sont mes fesses qui ont chauffé quand ma mère m'a mis le grappin dessus.

Elle non plus n'échappe pas à mes tours. J'ai effacé plus d'une fois des pages entières de données dans son ordinateur. Heureusement que papa est mon allié.

Il est redevenu mon complice, le seul qui rit de mes blagues. Il m'achète des vêtements, ceux que j'aime, et m'aide à faire mes devoirs. Mais pauvre lui ! Il a fort à faire pour me protéger des foudres de maman !

■

Ô horreur ! Il y a du sang dans mon lit ! Je crie jusqu'à ce que papa arrive. Quand il voit le dégât, il écarquille les yeux. Mais au lieu de venir à mon aide, il se sauve en criant : « Catherine ! Elle a ses règles ! Viens ici tout de suite ! »

Maman entre dans ma chambre. À son tour, elle ouvre grand les yeux en apercevant tout ce sang. Tout ce sang ? Bon, disons que j'exagère un peu, mais j'ai l'impression de baigner dans une mare tant c'est gluant et inconfortable. Qu'ont-ils tous à me regarder comme ça au lieu de faire venir une ambulance ? Je suis blessée ! Je suis peut-être en train de mourir !

Ma mère m'explique tout. Papa a préféré se retirer et lui laisser le soin de m'apprendre que je suis en train de devenir une femme. Selon elle, c'est biologique tout ça. Pour avoir des bébés un jour. Toutes les filles passent par là.

— Avoir un bébé, c'est pas quand l'homme met son pénis dans le vagin de la femme ?

Ma mère vient près de s'étouffer en m'entendant.

— Mon Dieu ! les enfants en apprennent plus à l'école que dans mon temps.

— Ce n'est pas à l'école…

Oups ! Papa vient d'apparaître dans l'embrasure de ma porte et il me fait de gros yeux. Il a tout entendu ! Je me tais pour de bon.

Des règles, c'est dégueulasse ! Ma mère dit que je vais aussi bientôt avoir des seins, comme les siens. Je regarde sa poitrine et fais la grimace. Je ne veux pas que mon corps change. Je ne veux pas qu'il devienne comme celui de ma mère.

Papa ne m'a pas rendu visite depuis des semaines. Ai-je fait quelque chose de mal ? Peut-être a-t-il dédain du sang ?

Le voilà justement qui tient dans sa main un petit sachet. Il le déchire et en sort un petit cercle en caoutchouc qu'il déroule pour ensuite l'enfiler sur son pénis.

— C'est quoi, ça ?

— Un condom.

— C'est pourquoi ?

— Il ne faut pas que papa se salisse.

— Mais je n'ai plus mes règles !

— On ne sait jamais. Ça peut recommencer n'importe quand.

— Mais maman dit que c'est une fois par mois.

— Aube ! C'est qui le père ? C'est toi ou c'est moi ? Je n'ai rien à redire là-dessus.

■

En septembre, je reprends le chemin de l'école quelque peu transformée. Non seulement j'ai eu mes règles cet été, mais j'ai grandi et grossi aussi. C'est ma mère qui le dit car sans ses observations, je ne me serais rendu compte de rien. Je n'aurais pas remarqué non plus qu'il me poussait des seins si une imbécile à grande gueule n'avait montré du doigt à ses amies les pointes que mon chandail révélait. Elles ont bien ri. Je me suis sauvée, le feu aux joues.

Je ne veux pas me voir grandir. Mais au moins, je ne suis pas la seule à subir des transformations. Les autres de ma classe changent aussi. Les gars restent aussi idiots qu'avant, mais en plus, ils ont des boutons, des drôles de voix et des poils sur le menton. Ils n'arrêtent pas de regarder les filles en poussant des commentaires vulgaires. Celles-ci font semblant de ne pas y attacher d'importance, mais dans les toilettes pendant qu'elles se maquillent, je les entends parler d'un tel ou d'un tel autre. Et à la façon qu'elles ont de marcher en se trémoussant dans les corridors... Pour des gens qui font semblant de s'ignorer, je trouve qu'ils mettent beaucoup d'efforts à se faire remarquer. Quant à moi, j'espère toujours passer inaperçue lorsque je défile devant eux avec ma démarche gauche... Mais je m'inquiète pour rien, puisqu'on m'ignore vraiment.

J'ai des maux de tête de plus en plus lancinants et qui durent de plus en plus longtemps. Parfois, pendant que la maîtresse parle, parle, parle, tout devient flou soudainement. Je ne suis plus dans la classe avec les autres, mais dans mon lit, au milieu de la nuit. Papa est là. Il me caresse les cheveux d'abord, puis les bras, les jambes, le ventre. Ses doigts glissent entre mes jambes. Il me dit des mots tendres, il m'enveloppe de ses bras. Je ne vois que lui.

Une voix perce mon brouillard :

— Aube, tu es toujours avec nous ?

Je sors de ma torpeur et je regarde avec surprise autour de moi. Les autres rient sous cape. « Aube vient de partir dans la lune encore une fois », doit-on chuchoter. Les oreilles rouges, je garde la tête baissée durant le reste de l'après-midi, mais je me concentre sur ce que la maîtresse dit pour ne pas retomber dans mon monde.

Je suis peut-être nulle à l'école pour me faire des amis, mais à la maison, avec papa, je suis comparable à *Superwoman* ! Il dit qu'il n'y a que moi pour lui remonter le moral. Souvent, il entre dans ma chambre après s'être chicané avec maman et s'affale dans mon fauteuil, l'air épuisé et déprimé. Il me raconte sa journée, les longues heures au bureau, les autres employés qui le font suer, son patron qui est un imbécile, et maman qui fait ses crises.

Au moins, je sers à quelque chose.

Aujourd'hui, j'assiste à mon premier cours d'éducation sexuelle. Pendant une heure, on nous montre des extraits de films, des diapos, des images sur cette merveilleuse fonction biologique qu'est la reproduction. Le pénis de monsieur, le vagin de madame, bla bla bla. C'est d'un ennui mortel. Je connais les mots. Je les ai souvent entendus dans la cour de l'école. Les autres sont toujours en train de faire des blagues cochonnes, de dire des niaiseries, des mots vulgaires.

J'écoute d'une oreille distraite la voix impersonnelle du narrateur, quand soudain il dit : « Quand un homme et une femme s'aiment… Ils se marient, ils ont des relations sexuelles, et parfois, s'ils le désirent, se reproduisent ».

Je me demande tout à coup : Mon père et moi, on cadre comment dans tout ça ?

J'ai mal à la tête. J'ai de la difficulté à respirer et j'ai les mains moites. Des images m'agressent. Les doutes, les mauvais rêves des derniers mois, les monstres qui sortent de ma garde-robe pour rire de moi… *Pauvre petite niaiseuse. Ça fait des mois qu'on essaie de te le dire. Ton père te baise, baise, baise…* C'est ça le mot juste, n'est-ce pas? C'est ce que mon père me fait, non ?

Je regarde les autres autour de moi, de plus en plus

mal à l'aise. Ils sont attentifs, mais ils n'ont pas l'air surpris. Tout ce qu'ils voient ou entendent leur paraît normal. Combien d'entre eux… Suis-je la seule qui… Qui quoi au juste ? me souffle une petite voix.

Je me lève soudain, affolée par cette voix qui me harcèle. Ma chaise se renverse. Tout le monde me regarde. Je quitte la classe en courant, poursuivie par les rires des autres tandis que la maîtresse me crie de revenir.

Quand elle me trouve dans les toilettes, qu'elle me demande ce que j'ai, je lui dis que j'ai été malade et que j'ai vomi.

— Je peux m'en aller chez moi ?

Elle est bien trop contente de me laisser partir.

La maison est vide. Je me promène de pièce en pièce comme une somnambule. Je m'arrête devant la chambre de mes parents. J'y entre et je m'étends sur le lit. J'essaie d'imaginer mon père et ma mère faisant l'amour. Ils ont dû le faire. En tout cas, au moins deux fois… L'ont-ils fait par plaisir, ou parce qu'ils voulaient des enfants ?

Je rêve. Papa est avec moi. Nous sommes dans une chambre de motel. C'est la nuit de mes dix ans. Je le sais maintenant, ce que papa me fait. Je comprends tout. Et en même temps, je ne comprends rien. Je le supplie d'arrêter, de me laisser tranquille. Je lui dis que les autres papas ne font pas ça avec leurs filles. Je lui crie qu'il est un vieux cochon…

… et je me réveille en sursaut sous son lit, malade. Je passe le reste de l'après-midi à nettoyer les dégâts que j'ai faits sous le lit, en pleurant toutes les larmes de mon corps.

Quand papa arrive ce soir-là, je cours m'enfermer dans ma chambre en claquant la porte. Il vient m'y rejoindre aussitôt.

— Qu'est-ce qui te prend ? me demande-t-il en s'approchant de moi.

— Rien.

— Allez, je vois bien que tu boudes. Qu'est-ce que tu as ? Il est arrivé quelque chose à l'école ?

— Non.

— Quelqu'un t'a fait quelque chose ?

Il s'arrête soudain, puis me saisit par les épaules :

— C'est ça, hein ? Quelqu'un t'a fait quelque chose. On t'a touchée ?

J'ai envie de pleurer, de lui crier que personne d'autre que lui ne m'a touchée, ne m'a fait mal.

— Aube, il faut que tu me dises ce qui se passe !

Je reste muette. Je veux seulement qu'il sorte de ma chambre. Je suis confuse et j'ai mal à la tête. Pour la deuxième fois aujourd'hui, je prétends avoir mal au cœur. Il s'en va en me promettant de me ramener un bol de soupe. Quand il revient, je fais semblant de dormir.

7
Un peu, beaucoup, passionnément…

Je me sens sale et honteuse. Je ne veux plus jouer avec lui. À l'école, durant mes quelques moments de lucidité, j'essaie par tous les moyens de savoir si d'autres filles sont dans le même pétrin que moi. Quand elles se rassemblent dans les toilettes pour discuter de sexe, je m'enferme dans une cabine et les épie. Peine perdue. Elles parlent d'Éric, de Marc ou d'Alex, mais jamais de leur père. Un jour, je vais même jusqu'à leur demander, mine de rien, si l'une d'elles a déjà vu le pénis de son père. L'air qu'elles me font ! C'est assez pour que se termine là mon enquête et pour que j'arrive à la conclusion que je suis bel et bien la seule. Je m'isole de plus en plus.

Je voudrais que mon père cesse de me toucher. Certaines nuits, je trouve le moyen de lui échapper. Un matin, maman me trouve endormie dans le lit de Laure.

— Ah non ! Tu ne vas pas lui voler son lit maintenant !

Maman ne comprend pas. Et si je lui explique tout, elle va me détester pour de bon.

Si papa sent ma gêne, il se fâche, puis il me boude.

J'ose à peine lui poser des questions. Je crains trop ses sautes d'humeur. Un instant, il est doux et gentil et l'instant d'après, il est agressif et brusque. Mais parfois, c'est plus fort que moi, les questions se précipitent hors de ma bouche.

— Ce qu'on fait, ce n'est pas pour les gens mariés, les blondes et les *chums* seulement ?

— Ç'a vraiment l'air de t'emmerder que je vienne te voir ! Tu ne m'aimes plus, ou quoi ?

— Je voulais juste savoir…

— Ça suffit tes questions. On dirait que tu ne me fais plus confiance.

Lorsqu'il est fâché contre moi, je me sens tellement coupable que j'ai l'impression que les portes de l'orphelinat s'ouvrent toutes grandes pour accueillir l'ingrate que je suis.

Je retombe alors dans son piège et attends impatiemment l'occasion de lui prouver que je l'aime et que je suis une bonne fille.

J'ai aussi parfois des regains d'espoir. Papa m'aime ! Il est toujours pour moi le meilleur des pères. Il prend soin de moi, me protège, me trouve belle, intelligente et utile. Je suis SA raison de vivre. Mon père ne me mentirait pas. Il ne me ferait jamais de mal. Sans lui, je ne suis rien.

C'est sûr qu'il m'aime. Quand maman veut que je l'aide à faire le ménage, papa lui dit de me laisser tranquille. Et quand je fais les quatre cents coups, il me pardonne et me protège de la colère des autres.

Il ne m'aime pas, il m'aime, un peu, beaucoup, passionnément ? J'effeuille inlassablement la petite marguerite plantée dans ma tête en espérant que de bonnes pensées y germent. Il faut que papa m'aime.

À l'école, je me sens de plus en plus à part des autres. J'ai l'impression de vivre enfermée dans une bulle à travers laquelle je les vois et les entends rire, heureux et insouciants. Je ne suis pas comme eux. Je viens d'une planète où les pères aiment leurs filles d'une drôle de manière. Dans ma vie à moi, c'est papa qui prend toute la place. Dans ma tête, dans mon cœur, dans mon corps. Mais sa présence n'est désormais plus rassurante. Il est devenu un corps étranger, un intrus qui m'écrase de tout son poids. Je me sens disparaître.

■

L'été de mes douze ans s'écoule comme si de rien n'était. Comme si dans ma tête et dans mon cœur, il n'y avait pas un grand trou noir en train de m'avaler tout entière.

Chaque jour, je rêve d'être toute petite. Non plus pour que mon père me porte jusqu'au bout du monde, mais pour qu'il oublie que j'existe.

■

Le jour de mes treize ans, maman s'exclame :

— Seigneur, c'est une adolescente maintenant. Elle va être deux fois plus insupportable qu'avant !

Son manque d'observation me révolte. N'a-t-elle pas remarqué que je suis au contraire très supportable ? Un vrai zombie. Je ne rouspète plus, je ne vais plus me plaindre auprès de papa quand elle veut que je fasse la vaisselle ou la lessive.

Je ne martyrise même plus son petit trésor, qui pourtant, ne demande qu'à recevoir des baffes tellement elle est emmerdante. Laure, qui a maintenant cinq ans, me suit partout pour me raconter ses petites histoires de maternelle dont je n'ai rien à faire. Mais ni mes airs bêtes, ni mes rebuffades ne la découragent.Une vraie poisse.

Quand je la vois se blottir contre maman, se rouler en boule sur ce ventre où j'ai si peu souvent eu droit de passage, quand je les vois collées l'une contre l'autre, je veux leur arracher les yeux et les cheveux. Je veux crier à ma mère : « Mais regarde-moi donc, moi aussi ! » Je la déteste de ne s'apercevoir de rien. Pourquoi ne se rend-elle pas compte ? Elle s'en fout peut-être ? Elle le sait déjà ?

J'imagine son petit discours : « Je le savais. J'avais raison de ne pas t'aimer. Tu n'es qu'une sale petite traînée. Tu as eu ce que tu méritais. Bien bon pour toi. Ne viens surtout pas pleurer sous mes jupes. »

Mes notes baissent. Je ne montre mon carnet qu'à papa qui signe sans regarder. Jusqu'à maintenant, personne n'a téléphoné à la maison pour se plaindre de mes pauvres résultats. Les professeurs sont tellement soulagés que mon règne de terreur soit terminé, que ce n'est pas un léger relâchement qui les énerve. De toute façon, je fais tous mes devoirs, même si le cœur n'y est pas, et je ne dérange personne. Je ne veux surtout pas attirer l'attention.

Si papa remarque mon nouvel état d'être, il ne dit rien. Je ne sais pas s'il se rend compte que je ne m'amuse plus, que je ne ris plus de ses blagues, que je me douche au moins cinq fois par jour, surtout quand il vient me voir. Il m'appelle toujours sa princesse. Mais je n'ai plus l'impression de vivre un conte de fées.

Quand il me rend visite, je ferme les yeux très fort pour ne pas voir ce qu'il me fait. J'essaie de lui échapper en pensant à autre chose. Je me raconte des histoires. Je me terre dans cet endroit tout petit qu'il me reste, là où il ne peut me rejoindre.

Mais j'ai peur, car il finira bien par trouver mon refuge un jour. Il ne me laisse pas une minute de répit. Comme lorsque j'étais enfant, il me demande sans cesse ce que j'ai fait à l'école, ce que les professeurs et les autres élèves ont dit. Comme je ne me souviens pas de grand-chose, je lui raconte n'importe quoi. À la maison, il me suit partout.

Quand je suis seule dans une pièce avec Laure ou avec maman, il est là, derrière la porte à nous écouter. Il fouille dans mes affaires. Je ne sais pas ce qu'il cherche au juste. Il n'arrête pas de me poser des questions sur les gars : « Est-ce que tu leur parles ? » ou bien, « Est-ce que tu en trouves un de ton goût ? » Je lui réponds invariablement d'une voix morne que non, les garçons, ça ne m'intéresse pas et qu'eux s'intéressent encore moins à moi. Ça excite qui au juste, une carcasse vide ?

■

J'ai quel âge donc ? Ah oui, quatorze ans. J'avais oublié. Les jours se suivent et se ressemblent. Laure fête ses six ans. Elle est vraiment mignonne pour une tache. Parfois, je ne peux m'empêcher de lui tirer les cheveux ou de lui parler sur un ton dur rien que pour voir son regard devenir triste. Mais dès que je la vois au bord des larmes, je regrette ma méchanceté et je vais dans ma chambre pour pleurer. Je pleure pour des riens ces temps-ci. Papa me dit qu'il a hâte que ma puberté passe. Je crois qu'il en a marre de me voir traîner comme une loque. Même maman se pose des questions. Je l'entends qui demande à papa :

— Tu ne trouves pas qu'elle est bizarre, ta fille ? Elle ne parle jamais, ne sort pas, n'a aucun ami… Ce n'est pas normal pour une adolescente.

— Tu m'étonnes, Catherine. D'habitude, l'état mental de ta fille aînée ne t'inquiète pas outre-mesure.

— Écoute-moi bien ! En ce qui me concerne, elle peut passer ses journées enfermées dans sa chambre avec les deux doigts dans le nez si ça lui chante. Mais elle me fout la trouille à se promener dans la maison comme une somnambule. Et elle est toujours habillée en noir. Elle est morbide. Et cette façon qu'elle a de parler ! Je ne comprends jamais ce qu'elle dit. C'était moins apeurant quand elle nous faisait ses mauvais coups. J'ai l'impression d'habiter avec une morte-vivante.

— C'est charmant ce que tu dis là. Bravo. Elle est à un stade délicat de l'adolescence et c'est tout ce que tu trouves à dire d'encourageant. Si elle est perturbée, c'est bien ta faute !

— Ah non, mon cher ! Je n'assumerai aucune responsabilité en ce qui la concerne ! Elle est ton problème. Et laisse-moi te dire que tu as les bras pleins, parce que tu as raté ton coup avec elle.

— Tu es vraiment une salope.

Je plaque mes mains sur mes oreilles pour ne plus les entendre. Ma mère n'est vraiment pas correcte. Elle dit tout ça à papa rien que pour le faire enrager.

Mais elle a raison. Je m'exprime mal et je ne fais rien comme les autres adolescents. Autrement dit, je suis une tarée. Une ratée, comme dirait maman. Papa ne doit pas être fier de moi.

Un après-midi, quand la cloche sonne pour annoncer la fin du dernier cours, je m'apprête à quitter la classe lorsque madame Roy, mon professeur d'épanouissement personnel m'interpelle :

— Aube, tu as deux minutes ?

Non, je n'ai pas deux minutes. Je veux m'en aller chez moi. Mais je me résigne à faire demi-tour.

— Aube, je m'inquiète un peu. J'ai demandé à chacun d'entre vous de m'écrire ce que vous aimez chez vos parents. Tu m'as remis ceci.

Elle me tend une feuille où il y est écrit de ma main une seule phrase : « Rien à écrire ».

Aïe ! Je ne me souviens même pas avoir écrit cela.

Madame Roy secoue la tête.

— Tu trouvais ma question indiscrète ?

— Non.

— Alors pourquoi n'as-tu pas répondu ?

— Pas envie.

— Ah bon ! C'est ton droit. Mais n'oublie pas qu'il s'agit ici d'un cours sur l'épanouissement personnel. Et tu ne sembles pas vouloir t'épanouir.

— Pleinement épanouie, merci.

— Est-ce que tu as des problèmes personnels ?

— Non.

— Tu es certaine ? Écoute, nous nous inquiétons à ton sujet. Nous savons tous que tu es une fille intelligente. Mais tes notes ne sont pas le reflet de ça. Tu es distraite, maussade et tu ne te mêles à personne. Ce n'est pas normal.

Je lève les yeux pour la défier du regard.

— Pas anormale ! O.K. ?

— On dit : « JE ne SUIS pas anormale ».

Je la regarde sans comprendre.

— Aube, qu'est-ce qui se passe ? Tu peux me le dire, tu sais. Si tu as des problèmes à la maison, avec ta mère ou ton père, tu peux te confier à moi. Je pourrais peut-être t'aider.

La peur me saisit soudain. Elle sait tout ! Elle va me dénoncer. Elle va dénoncer papa. Il faut que je le protège. Pour la première fois depuis plus d'un an, j'énonce très clairement :

— Madame Roy, vous êtes très gentille, mais vous n'avez pas à vous inquiéter pour moi. JE vais très bien. C'est l'adolescence, vous savez ?

De toute évidence et malgré ma belle assurance, elle ne m'a pas crue.

Le soir même, le téléphone sonne chez moi. Je prie pour que maman ne réponde pas.

Trente minutes plus tard, on frappe à ma porte. C'est mon père.

— Qu'est-ce que tu as dit à ton professeur, hein ?

— Rien. C'est elle qui posait plein de questions.

— Écoute-moi bien, Aube. J'aime pas trop quand tes profs me tombent dessus. Soit que tu es trop tannante soit que tu es déprimée. Tu pourrais pas faire comme tout le monde et avoir un comportement un peu plus normal ? Je sais que l'adolescence, c'est pas un cadeau, mais t'exagères ! Tu vas m'attirer des ennuis. C'est ça que tu veux ?

Je ne réponds pas.

— Hé, je te parle ! Tu n'es pas capable d'écrire ce que tu aimes chez tes parents ? Ta mère, je comprends, mais moi ? J'avais l'air de quoi au téléphone ? Ta prof doit penser que je te maltraite.

Mais c'est ce que tu fais, je lui réponds intérieurement. Je baisse le nez. Je ne veux pas que mon visage trahisse mes pensées.

— Je ne suis pas normale, lui dis-je plutôt.

— Pardon ?

Je répète plus fort :

— JE NE SUIS PAS NORMALE ! Je suis la seule à l'école, LA SEULE !

— La seule quoi ?

— Tu sais. La seule qui… tu sais !

— Non, je ne sais pas ! Je ne sais pas de quoi tu parles !

— Je ne peux pas faire comme les autres si je ne suis pas comme eux !

Il se fâche. Il me saisit soudain et me secoue de toutes ses forces. Il est tellement enragé qu'il postillonne quand il me dit d'une voix dure :

— Est-ce que tu aurais l'intention d'ouvrir ta belle petite trappe pour raconter des histoires sur mon sujet par hasard ? Tu t'es fait des amis, c'est ça. Tu leur as dit quelque chose ? Réponds !

— Je n'ai rien dit à personne ! Je n'ai même pas le droit d'avoir des amis !

— J'espère que tu me dis la vérité. Si j'apprends que

tu parles trop, ça va barder, je t'avertis, Aube. Tu ne voudrais pas que ta mère apprenne ce que tu es. Tu la dégoûtes déjà assez. Et puis des amis, oublie ça. Tu n'en auras jamais s'ils apprennent ce que tu es vraiment. J'essaie de t'aider, de te comprendre.

— Je n'ai rien fait, je proteste d'une petite voix entrecoupée de sanglots.

— C'est ce que tu crois. Tu n'es pas une sainte-nitouche, tu sais. Quand tu étais petite, tu étais tellement accaparante. « Papa » par-ci, « papa » par-là. Tu me suivais partout, même aux toilettes. Tu voulais toujours grimper sur moi, me faire des bisous, te coller sur moi. Et tu étais méchante avec ta mère. Tu te moquais d'elle. Tu faisais l'intelligente parce que tu t'étais arrangée pour m'avoir de ton bord.

Ce n'est pas vrai ! Je ne suis pas comme ça. Et si c'était vrai ? Si j'avais fait exprès de voler papa à maman ?

Je lève les yeux pour regarder mon père. Il a soudain l'air triste et las. Sa voix s'adoucit pour me dire :

— C'est correct, Aube. Tout va bien. Je ne suis pas fâché. Je sais que tu traverses une période difficile. Moi-même, quand j'étais adolescent, j'étais comme toi : Solitaire, un peu rêveur. Mais les gens sont incapables de comprendre les personnes comme toi et moi. Ils sont incapables de nous laisser tranquilles. Il faut toujours qu'ils se mêlent de nos affaires. Mais je suis là et je te comprends, moi.

Il tend la main pour me caresser le visage. J'ai envie de pleurer, de me laisser tomber dans ses bras et de me laisser aller contre lui.

— Tu promets de faire des efforts ?
— O.K. Je promets.

8

Yannick

C'est difficile de faire comme les autres quand on se sent comme une extra-terrestre. Mais pour montrer à mon père que je suis obéissante, je travaille plus fort à l'école et je me force à parler comme il le faut. Je me sens comme l'espionne que j'étais autrefois en territoire ennemi. J'ai tellement peur qu'à tout instant on découvre ma véritable identité, que je suis constamment sur mes gardes. Mon père a beau me dire qu'il est mon seul ami, mon protecteur, il ne peut plus me protéger. C'est à moi de le faire. Sinon, les profs téléphoneront chez moi et le monde entier me méprisera.

■

Je suis assise bien tranquillement, dans mon coin habituel de la bibliothèque municipale. Je viens ici presque chaque samedi pour y étudier toute la journée. Ça porte fruit. Mes notes ont grimpé en flèche ! Tout à coup, une voix vient perturber tous mes beaux efforts.

— Excuse-moi. Tu ne t'appellerais pas Aube, par hasard ?

Je lève les yeux sur une jolie blonde aux yeux verts. J'ai déjà vu ces yeux quelque part. Ils évoquent un souvenir flou. La blonde me sourit. Soudain, je reconnais ces cheveux, ces yeux, ce sourire.

— Aube, c'est bien toi ! J'ai reconnu tes cheveux. Ils sont toujours aussi rouges qu'à la petite école.

Yannick ! Pas possible ! Un fantôme de mon passé.

Je suis partagée entre le bonheur de ces retrouvailles et la gêne. Je me demande si elle se souvient de mon comportement d'autrefois, de celui de mon père.

— Ça alors. Je n'en reviens pas. Aube. Ça fait quoi, dix ans que nous ne nous sommes pas vues ? Qu'est-ce que tu deviens ?

— Eh bien, j'étudie !

— Ça, je m'en doute ! Mais à part ça ? Tu travailles ? Tu sors ? T'as un petit ami ?

— Mes études prennent tout mon temps.

— Je gage que tu es première de classe. Je me souviens, tu savais tout avant tout le monde.

— Euh, pas tout à fait, non. Et toi ? À quelle école vas-tu ?

Elle soupire.

— Toujours l'école privée. Mais ce n'est pas si pire. Il y a des garçons. Et ils sont pas mal *cutes*. En ce moment, je suis *sur la cruise*. Je viens de casser avec mon *chum* et c'est la grosse déprime. C'est pour ça que je suis ici, pour passer le temps. Sinon, tu penses bien, la bibliothèque, ce n'est pas exactement mon endroit préféré pour faire du social. Dis donc, tu vis toujours avec ton père ?

Je sursaute. Elle se souvient !

— Pourquoi tu me demandes ça ? Évidemment que j'habite toujours avec mes parents, j'ai quatorze ans.

— Je me demandais, c'est tout. Je me rappelle ton père. Il était bizarre. La fois qu'il m'a prise par le collet pour me dire de ne plus jouer avec toi, j'ai eu la peur de ma vie. Je l'ai dit à ma mère. Elle a téléphoné à l'école pour parler à la maîtresse. La maîtresse lui a promis de téléphoner chez toi pour parler à ton père.

— Je ne suis pas au courant. Excuse-moi.

Je me lève.

— Hé, où vas-tu ?

— Faut que j'y aille.

— Mais attends…

Je n'attends pas justement. Je me sauve, les joues rougies par la honte et la gêne.

J'ai été vraiment naïve d'espérer que Yannick se souvienne de notre brève amitié, au lieu de se rappeler la rudesse de mon père. Mais dans le fond, c'est mieux comme ça. Qui voudrait d'une fille comme moi, à part mon père ? Par contre, je semble être lavée de tout blâme aux yeux de Yannick. Pour elle, il paraît que je suis une victime innocente de mon père. Si je lui répétais ça, à lui, il ne serait pas content. Je ne devais pas être si terrible que ça quand j'étais petite. Peut-être mon père n'est-il qu'un menteur après tout ?

■

L'été de mes quinze ans se déroule dans la platitude. Mon père et ma mère travaillent et je dois entretenir la maison et garder Laure quand tante Josée n'est pas disponible. Ma sœur passe ses journées à jouer dans le petit parc du bout de la rue avec ses amis. Ils se réunissent parfois dans notre cour pour la collation de l'après-midi et pendant qu'ils rient et s'amusent, je les observe de la véranda. Comme je leur envie cette insouciance, cette joie de vivre. À sept ans, ma sœur est socialement plus branchée avec le reste de la planète que je ne l'ai jamais été. C'est parfois difficile de ne pas lui en vouloir, de ne pas être jalouse de cette facilité qu'elle a de se faire des amis, de rire, d'être heureuse, de s'attirer l'affection et l'attention de notre mère.

Je revois Yannick à quelques reprises. Elle se tient au *MacDo* avec une bande d'amis. De loin, je les regarde rire, puis je laisse lentement ce spectacle pour me rendre à la bibliothèque. Comme je n'ai rien de mieux à faire, j'y passe mes après-midis à lire ou à écrire. J'ai entrepris la rédaction d'un journal intime. La première fois que j'ai ouvert la page d'un cahier tout neuf, mes mains ont tremblé. J'ai décidé de raconter ma vie sur papier. C'est encore un peu tout croche. Mes souvenirs sont tout embrouillés. En les décortiquant, j'essaie de faire le ménage dans ma tête et dans mon cœur. Ça me fait du bien. Et puis, j'en ai marre que papa prenne toute la place en moi. Avant de quitter la bibliothèque, je cache mon cahier dans une vieille encyclopédie poussiéreuse. Je ne peux pas le ramener à la maison. Mon père fouille encore mes affaires et il aurait tôt fait de mettre la main dessus.

J'appréhende le retour à l'école. Je supplie papa de m'acheter de nouveaux vêtements à la mode. Pour être comme les autres. Il accepte. Je regarde les émissions pour ados, je passe des heures devant le miroir à pratiquer mes mimiques ou à engager avec mon reflet des dialogues où je brille par mon sens de la repartie et de l'humour. Je vais me promener en ville, quand papa n'y est pas, pour épier les faits et gestes des autres. J'ai même filé Yannick. Si elle apprenait ça ! Mon cerveau emmagasine tout. Je ne laisse rien au hasard. En septembre, je serai une autre personne. Mais j'ai peur d'échouer. Les autres me connaissent trop. Et si j'allais à une autre école ? À l'école privée, par exemple ? Mes parents gagnent beaucoup d'argent ces temps-ci, peut-être que… Mon père ne voudra jamais.

Tous mes beaux projets tombent à l'eau. Le jour de la rentrée scolaire, lorsque je m'approche d'un groupe de filles, l'une d'elles me lance :

— C'est quoi ton problème ? Tu nous espionnes encore, l'Aubienne ?

Un échec lamentable. Il y a toujours la bibliothèque…

J'aperçois Yannick. Je savais qu'elle viendrait. Elle est ici presque tous les samedis. Elle va s'asseoir à une table. Je me lève et passe devant elle, en feignant de ne pas la voir.

— Hé ! Aube ? s'exclame-t-elle à ma grande joie.

— Tiens, bonjour, heu… Yannick, c'est bien ça ?

— Oui. Tu te tiens toujours ici ?

— Pas plus que toi.

Aïe ! Je me suis trahie. Elle fronce les sourcils, je retiens mon souffle, puis elle sourit.

— Toujours à la même école ?

— Oui.

— Moi aussi. T'as un *chum* ?

— Non.

— Moi non plus. J'aime beaucoup ce que tu portes. Écœurant ton chandail ! Tu l'as pris où ?

— Je ne sais plus.

— Aimes-tu magasiner ? Moi, j'adore ça ! Je travaille dans une boutique les jeudis et vendredis soirs. C'est la boutique de ma tante. Si ça te tente de venir faire un tour, tu es la bienvenue. Les vêtements sont super beaux.

Si ça me tente ? Mon cœur chante. Je la quitte en lui promettant d'aller la voir à la boutique le jeudi suivant.

Le jour J, j'annonce à mes parents que je vais à la bibliothèque. Aussitôt le coin de la rue tourné, je me mets en route vers le centre commercial. Quand j'arrive devant la boutique de Yannick, je m'arrête net : Elle parle à deux filles et à un rouquin. Je n'ose pas franchir la porte. Mais elle m'aperçoit et me fait signe d'entrer. Elle se penche vers ses amis pour leur dire quelque chose et ils se retournent pour me regarder. Je m'approche d'eux le cœur battant, fondant comme neige au soleil sous leurs regards curieux.

— Salut, Aube ! Je te présente mes amis, Véro, Isabelle, et celui-là, c'est Martin. Tout le monde, je vous présente Aube, une vieille connaissance de la maternelle.

Toute timide, j'ose à peine les regarder. Les filles me saluent poliment, et Martin me fait un baisemain !

— Enchanté, beauté fatale.

Je suis tellement gênée que je ne sais plus où me mettre. Et ce grand dadais qui ne veut pas lâcher ma main !

— Martin, arrête tes niaiseries. Tu vois bien que tu la gênes !

— Ça va, ça va, dit-il en laissant ma main. Allez, venez les filles. À samedi soir, Yannick ? Et toi aussi, tu y seras ? Enfin, je l'espère.

— Je ne l'ai pas invitée, dit Yannick, mais c'est une idée, ça. Aube, tu veux venir avec nous ? Nous allons dans un club pas mal *trippant*.

— C'est que... j'ai beaucoup de devoirs...

— Un samedi ?

— Je sais, mais j'ai un travail important à remettre, je suis en retard et...

— Ça va, ça va. Laisse tomber.

Je vois bien qu'elle est déçue. Elle doit être en train de se dire qu'Aube-la-sauvage est toujours la même. Et si je voulais changer, justement ?

— O.K.

— Super ! lance Martin.

Convaincre mon père de me laisser sortir, et de me laisser sortir dans un club avec une *gang* de jeunes que je ne connais pas, est une mission impossible. J'opte donc pour l'inévitable subterfuge : Le mensonge.

— Tante Josée a les encyclopédies qu'il me faut. Je vais travailler là, puis j'y passerai la nuit.

Mon père est catégorique, il n'est pas question que je dorme chez ma tante. Mais ma mère, trop contente de le contrarier, m'accorde la permission. J'ai gagné le premier round. Je dois maintenant m'assurer de gagner le second : je téléphone à Josée pour l'avertir de mes projets. Elle est *cool*. Je m'en suis rendu compte l'été dernier, quand, pour mon anniversaire, elle m'a offert une petite robe qui a fait sortir les yeux de la tête à mon père.

— Ben voyons, Patrick. C'est une grande fille maintenant.

En aparté, elle m'a dit :

— T'es chanceuse, ma grande. Tu as les jambes de ta mère. Profites-en, a-t-elle ajouté avec un clin d'œil.

Elle est enchantée à l'idée de participer au « dévergondage » de sa nièce, et de se moquer de mon père par la même occasion. Et moi, je suis ravie d'avoir enfin trouvé une amie.

Yannick m'attend au coin d'une rue. Je me perds trois fois avant de trouver notre point de rendez-vous et j'arrive essoufflée, avec trente minutes de retard.

— Vite, vite, les autres nous attendent !

Nous montons dans l'autobus de ma liberté.

La soirée se déroule assez bien, mais je me sens tellement peu à ma place parmi tous ces jeunes qui bougent, qui rient, qui parlent avec aisance. Moi, je suis gauche, maladroite et quand on m'adresse la parole, je réponds en bégayant. J'attends sans cesse que l'on se moque de moi. Je me surprends à souhaiter être avec papa, mais cette pensée n'a pas aussitôt traversé mon esprit que des larmes de rage me viennent aux yeux. Non, pas ça, pas maintenant. Je m'efforce de rire des blagues, à parler le langage secret des ados. Je regarde Yannick qui est vraiment *cool*. Je l'envie. Elle est tellement à l'aise ! Elle ne semble pas s'apercevoir de mes faux pas. Ou peut-être fait-elle semblant de ne pas les remarquer ? Je suis assise dans un coin à attendre que les autres finissent de danser. Heureusement que je suis là pour garder leurs places et surveiller leurs effets personnels. Ça me permet aussi de me rendre utile et d'éviter de me rendre ridicule sur la piste de danse. Je ne sais pas danser.

Martin vient me rejoindre. Il est beau. J'ai soudain les mains moites et le cœur qui bat à toute vitesse. Pourvu qu'il ne veuille pas me faire un autre baise-main !

— C'est quoi ton nom encore ? me demande-t-il.

— Aube.

— Hé ! Toc, toc, toc ! lance-t-il aux autres qui sont revenus s'asseoir.

Personne ne lui répond. C'est peut-être le toqué du groupe.

— Toc, toc, toc ! Allez, répondez ! Dites : « Qui est-ce ? »

— Qui est-ce? répond la *gang* en chœur.

— Aube…

— Aube qui ?

— Aube Ergine !

Ils rient tous. Ça y est ! Ça n'a pas pris trop de temps avant que je sois la risée de tout le monde. Mon amateur de farces plates se tape les cuisses. J'ai envie de disparaître sous la table. Un autre crie :

— J'en ai une, j'en ai une ! Toc, toc, toc…

C'est trop. Je sens les larmes me monter aux yeux et je m'apprête à décamper quand Yannick me glisse à l'oreille :

— Tu es un *hit*, ma vieille !

Je regarde les amis de Yannick les uns après les autres. Leurs sourires sont sincères, leurs yeux rieurs. Et je me rends à l'évidence, ils ne rient pas de moi, mais avec moi. J'entre soudain dans la ronde, sans réfléchir :

— J'en ai une, moi ! Toc, toc, toc ?

— Qui est là ? demande toute la bande.

— Aube…

— Aube qui ?

— Aube Ergiste, je gage, lance quelqu'un.

— Non, je réponds fièrement. C'est Aube Épine et son ami Bob Épine.

Tout le monde s'esclaffe. Yannick me sourit. Je ne me suis jamais sentie aussi heureuse… et normale.

Martin me regarde. Il a l'air drôlement sympathique. Il me tend la main :

— Tu te souviens de moi ? Martin ? On s'est vus l'autre jour à la boutique…

— Salut, Tintin. T'aurais pas un chien qui s'appelle Milou par hasard ?

Je suis en pleine forme…

Il s'avère qu'il a bel et bien un chien. Mais au lieu du roquet blanc, c'est un labrador qui lui tient lieu de fidèle compagnon. J'apprends ça et un tas d'autres choses sur le chemin du retour, dans sa voiture. Il a insisté pour nous raccompagner, moi chez ma tante, et Yannick chez elle. J'apprends qu'il aime non seulement les animaux, mais aussi l'informatique et la littérature. Comme moi ! Je n'arrête pas de me retourner pour regarder Yannick. Elle me fait des grimaces et je roule les yeux. Elle éclate de rire. Je fais de même. Martin me sourit chaleureusement. La vie est belle.

Le lendemain à la maison, papa ne m'adresse pas la parole. J'aimerais pouvoir lui raconter ma soirée, lui dire que j'ai rencontré un gars super, qui m'a donné rendez-vous la semaine suivante. Mais je ne peux pas, mon père n'est pas normal.

Le samedi suivant, la soirée se déroule dans la joie et la bonne humeur. Martin insiste une nouvelle fois pour nous raccompagner, Yannick et moi. Il gare la voiture à quelques pas de chez moi, puis m'embrasse. Je deviens rouge comme une tomate. J'ai la main sur la portière lorsque Martin me glisse un papier sur lequel il a inscrit son numéro de téléphone. Il me demande le mien en retour. Prise de court, je ne sais quoi répondre. Je dois avoir l'air d'une idiote, la bouche grande ouverte. Yannick répond à ma place :

— Va, Aube. Je vais le lui donner moi-même.

Je pars en courant vers la maison. Ce que la vie peut être belle, parfois ! Je fourre le petit bout de papier dans ma poche. Toute à mon bonheur, je refuse de penser à papa. Je refuse de penser à un avenir où Martin et les autres découvrent ce que je suis vraiment.

Ma belle humeur est de courte durée. Je n'ai pas mis le pied dans la maison que la voix tonitruante de mon père résonne du salon.

— Aube? Viens ici ! Où étais-tu ?

J'avance à petits pas vers le salon. Mon père est assis dans un fauteuil et regarde la télévision.

— À la…

— Ne me raconte pas d'histoires ! Je suis allé à la bibliothèque, figure-toi donc. Tu n'y étais pas !

— Laquelle ? J'étais à l'autre…

— Arrête de mentir !

Mon père est debout, bleu de rage, me dominant de sa hauteur. Il m'empoigne le bras. J'essaie de me dégager, mais il est plus fort.

— Tu me mens maintenant ? Tu en es rendue là ? Avec qui étais-tu ? Un gars ? Tu faisais la putain, je te gage ?

— Non, je te jure...

Je n'ai pas le temps de protester que sa main s'abat sur mon visage. C'est la première fois qu'il me frappe. Je m'affaisse à ses pieds. Sous sa colère, je courbe l'échine. J'ai tellement honte. Mon père sait que je suis une menteuse.

— Allez, debout !

Il m'attrape par les cheveux et me traîne derrière lui vers l'escalier. Je m'agrippe à la rampe, je ne veux pas monter à ma chambre avec lui. Je pleure, je le supplie de me laisser tranquille. Je me demande pourquoi ma mère et Laure sont toujours chez tante Josée. Pourquoi ne sont-elles pas là pour me protéger ?

Arrivés à ma chambre, mon père me jette sur le lit. J'attends ma punition. Comme d'habitude, elle ne tarde pas.

— Voyons, ma petite princesse, me dit-il. Pourquoi es-tu si rebelle ? Tu ne m'aimes plus ?

Je le laisse faire, sans dire un mot. Je suis dégoûtée de moi-même.

9
Mon père est une ordure

Mon père surveille désormais étroitement mes allées et venues. Quand Yannick ou Martin essaient de me joindre par téléphone, je suis « absente en ce moment », ou « pas disponible pour l'instant ». Je le déteste.

∎

Je m'empresse de rentrer à la maison. Mon persécuteur m'attend et si je suis en retard, même d'une minute, il m'accable de questions.

Soudain, j'entends crier :

— Aube ?

Je me retourne. C'est Yannick qui me rattrape, essoufflée.

— Tu as le diable aux trousses, ou quoi ? Ça fait deux semaines qu'on essaie de te rejoindre. Tu ne retournes donc jamais tes appels ? T'es fâchée ? Ou c'est ton père qui ne te transmet pas les messages ? ajoute-t-elle d'un ton de doute. Il n'a pas changé celui-là si je comprends bien.

— J'étais très occupée.

— Trop occupée pour nous parler deux minutes au téléphone ? Martin n'y comprend rien. Il croyait que c'était bien parti vous deux. T'es vraiment étrange.

Pas ça ! Je ne supporterai pas que Yannick me traite d'étrange !

— Yannick, je dis les yeux pleins d'eau. Attends, je vais t'expliquer.

Je lui raconte une histoire à dormir debout, qu'elle accepte. Elle me propose une sortie pour samedi soir. Je lui dis oui, mais je sais bien que je n'irai pas.

Samedi soir. Maman est partie chez sa sœur. Papa m'attend. Il est dans ma chambre. Je le sens. La mort dans l'âme, je monte les marches. Quand j'ouvre ma porte, il n'y a personne. Je me dirige vers ma garde-robe pour y suspendre ma veste. J'ouvre la porte et il se jette sur moi avant de m'envoyer sur le lit. J'entends son rire étouffé pendant que ses mains arrachent mes vêtements.

— Tu m'as manqué, ma princesse.

Cette fois-ci, je n'en peux plus. *Ton père est une ordure, Aube,* je me dis. *Il n'y a qu'une ordure pour se cacher dans une garde-robe et attendre l'occasion pour te sauter dessus.* Mais comme d'habitude, je me résigne. Pendant qu'il s'escrime sur moi, je pense à Martin, à Yannick et aux autres qui sont sûrement en train de s'amuser au club, sans moi. S'ils me voyaient…

∎

J'en ai assez d'avoir mal à la tête. J'ai l'impression que mon crâne veut se fendre en deux. Couchée sous mes couvertures, j'attends que ça passe. Et je sais que ça va passer. J'ai l'habitude. Avec le mal de bloc viennent les pensées déprimantes. Dans ma tête, les deux Aube se livrent une chaude lutte.

« Tu es une fille ingrate et une mauvaise personne. Tu es chanceuse d'avoir un père qui t'aime et toi, tu lui craches dessus. Tu le méprises et tu lui mens ! » m'accuse l'une.

« Je ne veux plus qu'il me touche. Ne peut-il pas m'aimer sans me toucher ? Ne peut-il pas me laisser vivre comme tout le monde ? Pourquoi moi ? Pourquoi ça m'arrive, à moi ? Pourquoi est-ce que je ne peux pas être comme les autres ? Si je suis punie, c'est parce que je le laisse me toucher ! » rétorque l'autre.

« Arrête ! » crie la première Aube, celle qui est là depuis le premier jour, depuis toujours. « Il t'aime ! Tu ne serais rien sans lui. Ta mère ne t'aime pas ! Sans lui, tu serais seule au monde. C'est ce que tu veux ? »

Je hurle aux deux voix :

— Arrêtez ! Laissez-moi tranquille !

Mon cœur bat fort, j'ai des fourmis dans les doigts. Je reconnais ces symptômes. Je ne peux plus respirer. Il ne reste qu'une seule chose à faire : m'étouffer. Je rabats la couverture sur ma tête et je tire fort sur les coins pour qu'aucun souffle ne s'échappe plus de ma bouche. J'attends qu'il meure dans ma gorge… Des points bleus et jaunes, des éclairs rouges se dessinent sous mes paupières. J'ai mal. Mais au moins, je n'entends plus les voix. Je meurs, je m'endors, je perds connaissance, je ne sais plus.

Ça ne peut plus continuer comme ça…

Le samedi suivant, je croise Yannick à la bibliothèque. Dès qu'elle me voit, elle a un drôle d'air et
semble hésiter avant de m'approcher. Elle prend enfin
place à ma table et me dit :

— Aube, ce n'est pas de mes affaires, mais ton père
est vraiment bizarre. Il a téléphoné à Martin pour lui
dire de te foutre la paix. Tu le savais ?

Non, je ne le savais pas, et je voudrais bien mourir
de honte tout de suite. Je n'arrive pas à croire que mon
père ait téléphoné à Martin. Il a dû fouiller dans mes
poches pour trouver le numéro de téléphone.

— Mon père est un peu protecteur...

— Moi, j'appellerais ça « surprotecteur » ! Franchement, on n'en revient pas. Martin *capotait*. Il dit qu'il
aime autant mieux ne pas te revoir.

— Quoi ?

— Est-ce que tu peux le blâmer ? Tu ne l'as pas tellement encouragé non plus. Qu'est-ce qui se passe entre
ton père et toi ? me demande-t-elle à brûle-pourpoint.

Je reste sans voix. La surprise me paralyse.

— Tu peux me le dire, tu sais !

Tout à coup, j'étouffe. Je n'aime pas ce regard
intrigué qu'elle pose sur moi. J'y lis aussi de la pitié.
C'est trop. Je décide de partir.

— Excuse-moi. Mais je n'ai pas besoin de ta charité.
Je ne sais pas pour qui tu te prends, ni pour quelle
cause tu travailles, mais je ne suis pas ton « cas ». Je
n'ai pas besoin qu'une assistante sociale s'occupe de
moi.

— Hein ? Qu'est-ce que j'ai dit ? Aube, reviens. J'ai pas voulu… Aube !

Sa main me retient. Je ne supporte pas qu'on me touche. Je dégage mon bras et je la repousse.

— Fais de l'air ! je lui crie. Laisse-moi tranquille !

La dernière chose que je vois, ce sont ses yeux stupéfaits et son air de chien battu. Qu'elle aille au diable !

Non, ça ne peut pas continuer comme ça…

Il entre dans ma chambre.

— Ne me touche pas ! Sors d'ici !

— Bon, ça recommence ! Qu'est-ce que j'ai fait maintenant ?

— T'es un cochon !

— Pardon ?

— Tu as compris. T'es un cochon !

— Et pourquoi ?

— C'est cochon ce que tu me fais.

— Tais-toi ! Ne parle pas si fort !

Il me saisit par les épaules. Il est tellement fâché qu'il parle entre ses dents :

— Je te ferai remarquer que toi aussi tu fais des affaires cochonnes.

— C'est toi qui me forces !

— C'est pas vrai. Tu aimes ça ! Je suis ton seul ami. Je fais tout pour toi et c'est comme ça que tu me remercies, en me traitant de cochon ?

— Les autres pères ne font pas ça, eux !

— Oui, ils le font !

— Non !

— Comment tu le sais ?

— Hé, je n'ai plus dix ans ! Tu ne peux plus me

raconter des histoires.

Pour la deuxième fois de ma vie, mon père me frappe.

■

L'année prochaine, le cégep ! J'ai tenté de m'inscrire à un cégep à l'extérieur de Montréal, mais mon père n'a rien voulu savoir. J'en ai pleuré de rage. Mais je me console en me disant que je vais fréquenter le même cégep que Yannick et Martin. Je vais étudier les sciences humaines et j'aurai un cours d'informatique. Peut-être serons-nous dans les mêmes cours ?

En attendant, je prends mon courage à deux mains et téléphone à Yannick pour lui demander si elle peut me dénicher un emploi chez sa tante. Elle est plutôt réticente au début, mais je la supplie en invoquant mon père qui ne me donne jamais d'argent. Yannick accepte de m'aider.

Quelques jours plus tard, elle m'appelle pour me dire que l'affaire est dans le sac.

— Tu commences à la fin du mois de juin. Du mercredi au samedi.

Je la remercie du fond du cœur. Je ne sais pas comment mon père va accepter cette nouvelle, mais je m'en fiche.

Je vais enfin avoir de l'argent de poche ! Un peu de liberté aussi. Et qui sait, peut-être pourrais-je trouver un endroit où vivre à bon compte ? C'est le nouveau projet que je caresse : quitter la maison, même si c'est angoissant. Mais pour la première fois de ma vie, je préfère crever de faim que de laisser mon père continuer de me toucher. Je n'ai plus peur de me perdre dans la grande ville.

Entre-temps, mon père essaie par tous les moyens de m'empêcher de faire quoi que ce soit.

— Comment ça, tu sors ? Il y a des choses à faire ici. Tu ne peux pas partir comme ça.

Il me bloque le passage

— Je vais seulement à la bibliothèque.

— Mon œil. Si tu penses que je ne sais pas que tu courailles partout. Non, je regrette, mais tu restes ici cet après-midi. Tu dois faire ta part dans la maison et tes devoirs aussi.

— Ma part ? Je fais presque tout ici ! Aube, fais la vaisselle, Aube, garde ta sœur, Aube, va nettoyer le bain, Aube fais-ci, Aube fais-ça ! J'en ai assez moi ! Je ne suis pas votre servante. Tous les autres de mon âge ont le droit de sortir. Moi, je suis tout le temps condamnée à rester ici !

— Laisse faire les autres de ton âge. Tu fais ce que je te dis, un point c'est tout.

— Maman ! je crie à ma mère qui arrive justement. Fais quelque chose ! Dis-lui qu'il exagère !

— Ah, là, tu as besoin de mon aide ! Mais non, je regrette, arrange-toi avec ton père.

Son ton narquois m'exaspère.

— Merci pour ton aide. Je savais que c'était trop te demander ! Dans le fond, ça fait ton affaire. Tu as à ta disposition une servante qui ne te coûte rien.

— Aube la dramatique !

— T'es contente ! T'aimes ça, me faire chier ? Tu es jalouse et tu es mesquine.

— Oui, oui, c'est ça. Et je suis une mère dénaturée

qui te frappe, te maltraite. C'est effrayant tout ce que je te fais.

— En effet. C'est effrayant. T'as pas idée...

— Aube, ferme-la, m'ordonne papa d'une voix dure.

Je regarde mes parents. Ah, contre moi, ils sont bien unis, ces deux-là ! Tous pour un et un pour tous.

J'ai l'idée subite de faire appel à tante Josée pour briser ce front commun. Après tout, elle a bien voulu m'aider l'été dernier. Ma tante est plus *cool* que ma mère et je sais qu'elle déteste mon père. Elle est la médiatrice parfaite. Je passe un après-midi chez elle à me plaindre de mes parents. Elle sympathise. Je comprends que ma mère soit toujours avec elle. Tante Josée, c'est une bouffée d'air frais dans notre monde vicié. Pour un peu, je déballerais mon sac et lui dirais tout. Mais je suis assise sur une boîte remplie d'explosifs. Si je me lève, tout saute.

J'ai tellement besoin de tout avouer que la nuit, dans le noir, je confesse mes crimes à tante Josée, à Yannick et à maman, et j'imagine leur réaction. Celle de ma tante est parfois compatissante et ça me fait un baume sur le cœur. Puis j'imagine le dégoût de Yannick et l'incrédulité, puis la haine de maman.

Et mon père. Trahi, bafoué par moi, comment pourrait-il continuer de m'aimer ?

La honte et la culpabilité me font rester assise sur ma boîte d'explosifs. Tic-tac, tic-tac, tic-tac...

Mon petit stratagème fonctionne ! Choquée de mon triste sort d'ado, tante Josée intercède en ma faveur auprès de maman. Elle lui fait judicieusement remarquer qu'elle ferait enrager mon père si elle devenait mon alliée.

Ma mère doit trouver l'idée bonne puisque lorsque mon père veut m'empêcher de sortir à nouveau, elle intervient en disant :

— Dis donc, ta fille a dix-sept ans, elle devrait avoir le droit de sortir.

— Elle ne sort pas, elle couraille !

— Quand bien même elle couraillerait ! Ça serait plutôt normal pour une fille de son âge de courailler.

— Pas MA fille !

— Ouais, TA fille. C'est ma fille aussi.

— On dirait pas.

— O.K. ! J'en ai assez ! Je suis tannée de me faire dire par toi que je ne m'occupe pas assez de TA fille.

Lâche pas, maman, je prie silencieusement. Elle poursuit, l'air d'avoir le vent dans les voiles.

— Regarde-moi bien m'en occuper, Patrick. Aube, tu veux sortir ?

— Oui.

— Et bien voilà. Je t'accorde, moi, TA mère, la permission de sortir. Et en plus, moi, TA mère, je te donne de l'argent pour sortir. Parce que moi, TA mère, je veux que tu aies du bon temps. Passe l'après-midi dehors, la soirée dehors, si ça te chante. Mais pas la nuit dehors, quand même, parce que moi, TA mère, je pourrais m'inquiéter. Ça te va comme ça ?

Tu parles ! Je regarde ma mère, gonflée de bonheur. Je me sens proche d'elle tout à coup, comme si nous étions complices. Je détale comme un lapin sans un regard pour mon père.

À demain les conséquences. Pour aujourd'hui, c'est la liberté.

Ma liberté dure quelques jours. Mon père boude et me sert ses grands airs. Mes maux de tête reprennent, j'ai des nausées et de la difficulté à respirer. Au bout d'une semaine, je n'en peux plus, j'ai besoin de voir Yannick. Je m'apprête à sortir pour la rejoindre, quand il m'attrape par le bras et me pousse contre le mur. Son visage à un centimètre du mien, il me crache :

— Tu vas traîner encore ? Tu as mis ta mère de ton bord, mais avec moi, ça ne prend pas tes petits airs de sainte-nitouche.

— Laisse-moi tranquille !

— Tu vas rester ici.

— Non ! Tu ne peux pas me forcer !

— Ah oui, je le peux. Je suis ton père.

Puis sa voix s'adoucit. Il prend un air las et me dit :

— Tu ne m'aimes plus, c'est ça ?

— C'est ça ! Je ne t'aime plus. Tu vas me laisser tranquille maintenant ?

— Après tout ce que j'ai fait pour toi.

— Tu veux dire après tout ce que tu m'as fait ?

— Petite salope. Va ! Va traîner. Mais quand tu reviendras, peut-être que je n'y serai plus.

J'ignore ce qu'il entend par là, mais son chantage ne m'atteint pas. Le sentiment de culpabilité qui m'habitait auparavant s'est mué en pitié... et en incrédulité. Je tombais dans ce panneau-là, moi ?

Lorsque je reviens à la maison, une ambulance est à la porte. Les ambulanciers sortent de chez moi avec une civière sur laquelle un corps est étendu. Mon cœur cesse de battre. La panique s'empare de moi.

— Papa ! papa !

Je me lance sur la civière, bousculant les ambulanciers.

— Hé, ho, la petite, du calme ! Laisse-nous passer.

— S'il vous plaît ? S'il vous plaît ? C'est mon père…

— Aube !

C'est maman. Je me jette dans ses bras en pleurant.

— C'est ma faute, c'est ma faute !

— Aube, ne soit pas aussi dramatique. Ton père est tombé du toit. Il s'est fracturé une côte et une cheville. C'est tout. Il n'en mourra pas.

Mais il a bel et bien essayé. Et c'est ma faute.

— Yannick ?

Je pleure encore en lui expliquant ce qui s'est passé. Elle essaie de me consoler.

— C'est pas trop grave. Il va s'en remettre bientôt.

— Je sais, mais c'est ma faute.

— Comment ça ?

— Je lui ai dit… que je ne l'aimais plus…

Un long silence accueille ma déclaration.

— Yannick ?

— Excuse-moi, mais si j'ai bien compris, ton père se serait jeté en bas de la maison parce que tu lui as dit que tu ne l'aimais plus ? Ça n'a pas de bon sens !

— Oublie ça, je niaisais. C'est une blague.

— Ouais…

Je rends visite à papa à l'hôpital. Quand je l'aperçois dans son lit, le visage pâle et les traits tirés, je me mets à pleurer. Il me regarde d'un air tellement triste. Je lui demande :

— Pourquoi t'as fait ça ? C'est à cause de moi ?

— Je suis en train de te perdre. Je le sais bien. Tu as eu ce que tu voulais de moi, et maintenant tu ne veux rien savoir de ton vieux père.

— Tu n'es pas vieux, voyons donc…

— En tout cas, je sais que je suis moins intéressant que les garçons de ton âge.

Je lui mens.

— Je n'ai pas d'amis, tu le sais.

— Tu sors tout le temps !

— Je ne fais rien de mal.

— Tu vas rester plus souvent à la maison ?

— Si tu veux, oui.

Je m'en vais, soulagée que tout s'arrange entre nous deux. Ça me fait trop mal d'être en guerre avec lui.

Quand papa revient à la maison, Laure lui fait la fête. Mais il l'ignore, tout occupé qu'il est à observer mes moindres faits et gestes. Le soir même, il vient me voir… Tout rentre dans l'ordre.

Je suis à genoux en train de frotter le plancher de la cuisine depuis des siècles il me semble. Je suis fatiguée. J'ai mal au dos. Tout à coup, je sens qu'il est derrière moi, qu'il me fixe. Je continue de m'acharner sur le plancher en redoublant de vigueur, mais je ne peux plus me concentrer. Je déteste ça ! Je déteste la façon qu'il a de m'observer, de me déshabiller des yeux. Dans une apparente indifférence, je continue de travailler. Je ne respire que lorsque j'entends enfin ses pas s'éloigner.

Quand il le peut, il me rend visite le soir dans ma chambre. Et dès qu'il me quitte, je vais à la salle de bains pour vomir. Pour essayer d'oublier ce qu'il me fait. Pour purifier mon âme et mon corps.

Je suis de plus en plus partagée entre mon désir de tout raconter à n'importe qui et celui de garder le silence. J'ai parfois envie de récupérer mon journal intime à la bibliothèque et de le laisser traîner dans la maison pour que maman le voie et le lise. Ainsi, je n'aurais pas à parler. Mais j'ai tellement peur de sa réaction. De toute façon, je suis certaine qu'elle s'en irait avec Laure pour me laisser seule avec papa. Et dans ce cas, je ne serais pas plus avancée.

Non, c'est à moi de partir. Personne ne saura rien et je serai débarrassée de lui. J'ai hâte de gagner ma vie. Même si je dois faire des heures supplémentaires et travailler en même temps que j'étudie, je suis décidée à tout faire pour sortir d'ici.

10
Adieu papa !

L'été frappe enfin à nos portes ! J'annonce à ma famille que j'ai trouvé un emploi que j'ai l'intention de garder. J'insiste sur chacun des mots pour que mon père comprenne bien. Évidemment, il me fait une crise.

— Tu n'as pas besoin de travailler !

— Non ? Et l'argent ? Tu le dis toi-même qu'il ne tombe pas du ciel.

— Je te donne tout ce qu'il te faut.

— Je paye pour aussi...

— Qu'est-ce que tu as dit ?

— Rien.

Encore une fois, ma mère intervient en ma faveur. Même si elle le fait seulement pour contrarier mon père, je suis contente qu'elle me soutienne.

Ma première journée à la boutique aurait pu tourner à la catastrophe ! Mais Yannick était là pour me guider et me montrer les ficelles de ma nouvelle carrière.

Avec mon premier chèque de paie, j'achète une serrure que je passe un après-midi à installer moi-même sur la porte de chambre. La première fois que mon père se cogne le nez sur ma porte verrouillée, il l'investit de coups de poing et de pied. Mais il doit renoncer quand maman lui demande en criant ce qui se passe.

Je quitte la maison tôt le matin, après m'être assurée que ma chambre est sous clé, et je ne reviens que tard le soir. Il me surprend une fois en se cachant dans la garde-robe du couloir. Quand il me saute dessus, mon cœur s'arrête.

— Pourquoi as-tu mis une serrure à ta porte ? Tu vas m'ôter ça tout de suite ! C'est moi le *boss* ici, c'est ma maison et je te dis d'enlever ta serrure.

— Si tu me forces à enlever ma serrure, je vais tout dire à maman.

— Lui dire quoi ? Que tu es une salope qui couche avec tout ce qui bouge, y compris son père ? De toute façon, elle ne te croira pas. Elle ne t'a jamais aimée. Si tu penses qu'elle va écouter une petite traînée comme toi.

— Tu sais, Patrick, quand tu es en colère, tu parles comme un habitant.

— Ma petite c...

Il veut me frapper, mais je suis plus rapide que lui. Je le pousse avec tant de force qu'il tombe à la renverse. Profitant de sa chute, je cours jusqu'à ma chambre. De mes doigts fébriles, je défais le loquet, puis m'enferme à double tour. Adossée contre la porte, je couvre mes oreilles de mes mains pour ne pas entendre ses cris et les coups frappés sur le panneau de bois. Au bout de quelques minutes, il s'en va. Délivrée, je m'affaisse sur le plancher et pose ma tête sur mes genoux. Je pleure de tout mon soûl.

Dans la vie de tous les jours, lorsque je ne suis pas à la maison, je mène le train-train quotidien de toute jeune fille. Maintenant que je gagne de l'argent, je peux me permettre des sorties, des albums et, grâce à la boutique, des vêtements pas trop chers ! Je me regarde dans la glace, ravie de mon nouveau moi. J'ai une nouvelle coupe de cheveux et, le soleil aidant, des mèches qui me donnent un air de santé. Les vêtements à motifs imprimés que je porte contribuent aussi à me ranimer.

Yannick est pour beaucoup dans ma transformation et je la soupçonne d'être plutôt fière de ma personne. Mais je suis si heureuse, que je la laisse faire.

Bien entendu, j'ai parfois les deux pieds dans la même bottine. Si quelqu'un de mon âge, du sexe masculin de surcroît, me parle, sur le coup, je bafouille, je cafouille, j'ai l'air d'une nouille. Les premiers jours à la boutique, c'est le désastre. Chaque reproche me mène au bord de larmes. Plus d'une fois, je me mets à regretter d'avoir voulu travailler. Je trouve ça con, tout d'un coup, de vendre des vêtements. De vouloir être comme les autres. Les autres sont cons, de toute façon. Mais quand je suis sur le point de tout laisser tomber, je me ravise. Je n'abandonnerai pas. Pas cette fois. Chaque semaine, je dépose de l'argent dans mon compte en banque tout neuf. La liberté n'est pas loin.

Demain, dimanche, je vais à la plage.

La bande de Yannick a décidé d'aller passer la journée au Cap Saint-Jacques. J'ai la trouille, mais l'idée de cette excursion m'excite. Évidemment, je dois inventer un prétexte pour justifier mon absence. Je ne peux pas tout simplement dire à mon père que je vais passer l'après-midi à me trémousser sur une plage en maillot de bain où mon corps sera à la vue de tous. Yannick dit que l'endroit est bondé de beaux gars.

Je suis toute nue devant la glace. Je jette un regard réprobateur à mon reflet. Vont-ils seulement me regarder ? Comme le dit tante Josée, Yannick me répète que mes jambes sont belles et que je devrais les montrer plus souvent. Moi, ça me gêne.

J'ai dit à ma mère que j'allais faire un tour en ville, puis je me suis sauvée en courant avant que mon père ne se lève. Me voilà affublée d'un minuscule bikini que Yannick m'a incitée à acheter. Je me sens bourrelée de remords. Des yeux masculins autres que ceux de mon père se posent sur moi, avec désir, je le sens bien. Je voudrais faire un trou dans le sable et m'y terrer. Mais aussi, je trouve plutôt euphorisante cette impression de pouvoir. Quelqu'un me tend une bouteille de boisson gazeuse qui, en réa-lité, contient de la bière. Je bois goulûment. Au bout de quelques minutes, avec le soleil et le manque d'habitude, je flotte.

Yannick fait des mamours à son nouveau *chum*, Thomas. Depuis qu'elle est avec lui, elle est un peu bébête et me tombe sur les nerfs parfois.

— Tu t'amuses, Aube ?

Yannick aussi est un peu pompette. Ses yeux brillent.

— Il est beau, hein, Thomas ?

— Ouais…

— Je crois que je vais coucher avec lui bientôt.

— …

— Dis-moi, je peux te poser une question indiscrète ?

Nimbée de soleil, bercée par ma vague d'euphorie, je ne sens pas venir le danger. Très sûre de moi, je dis :

— Mmm, quoi donc ?

— Est-ce que t'es vierge ?

Je déglutis, puis feignant l'indifférence, je réponds :

— Bien sûr que non !

— Ah ?

— Quoi ? Ça t'étonne ?

— Ben, heu… disons que oui.

— Pourquoi?

— Parce que tu n'as pas l'air du type…

— De quel type, au juste ?

— Rien. Laisse faire.

— Tu es vierge, toi ?

— Oui.

— Moi aussi.

— Mais, tu viens de dire…

— Je sais, je sais. Je ne voulais pas avoir l'air d'une niaiseuse.

— T'as pas l'air niaiseuse. Est-ce que j'ai l'air niaiseuse, moi ? Mais ça reste entre nous deux, hein ? Les filles vierges à notre âge, c'est plutôt rare.

Ce n'est pas moi qui vais le chanter sur tous les toits.

— Tu sais ce que l'on va faire ? Toi et moi, nous allons perdre notre virginité en même temps ! Moi avec Thomas, toi avec heu… eh bien, on te trouvera bien quelqu'un !

— Merci, trop aimable… Je suis un cas de charité pour toi.

— Mais non !

Je voudrais bien avoir quelqu'un avec qui vivre une « première » relation.

En sortant des toilettes, je tombe sur Thomas. Nous nous excusons, moi rouge comme une pivoine. Puis, je le regarde longuement, jusqu'à ce qu'il rougisse lui aussi. C'est trop facile.

La semaine suivante, Yannick et moi sommes étendues sur des serviettes, grisées et heureuses, compliments de quelques bouteilles de bière. Décidément, j'aime cet alcool qui me donne des forces et du courage. J'aperçois Thomas qui se lève. Je me lève à mon tour pour le suivre. Lorsque nous nous croisons, il me dit en riant :

— Il faut qu'on arrête de se rencontrer comme ça. Les gens pourraient jaser !

Ah, qu'il est drôle ! Je passe devant lui, très lentement, en m'assurant qu'il peut respirer à fond ma peau dorée par le soleil et sentir mon corps contre le sien. Je suis soûle ! Et lui, il a perdu tous ses moyens. C'est vraiment trop facile.

Quand je retourne sur la plage, Yannick me dit :

— C'est peut-être l'alcool qui parle, mais j'ai décidé que ce soir, je vais coucher avec Thomas. Je m'excuse de ne pas t'attendre, mais je ne suis plus capable !

Je me contente de lui sourire.

Plus tard dans l'après-midi, quand Thomas se lève de nouveau pour aller aux toilettes, je le suis. Quand il me voit entrer, il est surpris.

— Aube ? Que fais-tu ici ?

Je m'approche sans dire un mot. Je passe mes bras autour de son cou. Il se raidit.

— Non, Aube. Yannick…

Mais je n'ai qu'à presser mon corps contre le sien pour le sentir fondre. Je passe ma main dans ses cheveux, je m'y attarde langoureusement, j'y mets tout mon art. Il a une si belle chevelure, épaisse et brune *(comme celle de mon père)*. Non ! Ce genre de pensée n'a pas sa place ici.

Je l'entraîne vers les toilettes des hommes où nous nous enfermons dans une cabine. Comme un réflexe, je tends la main vers son maillot de bain.

Quand je vois son sexe, mon corps se raidit le temps d'un mauvais souvenir. Mais je ne peux plus reculer. Si je veux être comme tout le monde, je dois aller jusqu'au bout.

Je me souviens vaguement que j'ai une amie qui s'appelle Yannick…

Yannick arrive à la boutique le mercredi, les yeux pétillants et le sourire en cœur.

— Devine quoi ! Je ne suis plus vierge !

— Félicitations, je lui dis d'un ton morne.

Comme j'aurais aimé partager avec elle cette expérience, au lieu du *chum*… Si elle l'apprend… Maintenant que je l'ai fait, je ne sais pas ce qui m'a pris. Papa a raison. Je suis une salope. Mais je voulais tellement faire comme Yannick. Je croyais aussi que si je baisais avec un autre que mon père, je pourrais définitivement laver mon corps de sa présence. Mais je me sens honteuse et coupable.

Chaque soir, je m'enferme à double tour dans ma chambre. Il erre devant ma porte au milieu de la nuit, il cogne et me supplie de lui ouvrir. Je mets mon oreiller sur ma tête pour ne pas l'entendre. Quand il s'éloigne enfin, je pleure jusqu'aux petites heures du matin.

Mes sorties ne sont guère plus réjouissantes. Quand je vois Yannick et Thomas ensemble, le cœur me lève. Je lui en veux à elle de ne s'apercevoir de rien, et à lui, de faire comme si de rien n'était.

■

C'est impressionnant, le cégep. Tout ici est deux fois plus grand qu'à l'école secondaire. Et il y a deux fois plus de monde. Quand je traverse la cafétéria ou le hall principal, je veux fondre. Mais pour dissimuler ma timidité, il n'y a pas plus experte que moi. Finies la tête baissée et les jupes trop longues. J'ai la tête haute, et je ne porte maintenant que des minijupes. J'aime quand les garçons me regardent avec désir et les filles avec jalousie.

J'ai revu Martin. Il a passé tout l'été en Europe. Il a maintenant une copine. C'est à peine s'il me salue. Je m'en fiche. Il y a plein d'autres gars ici. J'ai fait l'amour avec deux d'entre eux depuis mon arrivée. Le premier, c'est le *chum* de Véro, l'amie de Yannick, et le deuxième, une vieille connaissance du secondaire. J'espère que le dernier s'est rendu compte que, pour une sauvage, je m'en suis plutôt bien tirée.

Je suis installée à une table dans la cafétéria, quand Yannick surgit tout à coup devant moi, l'air furieux.

— Tu es une vraie Marie-couche-toi-là, toi !

— Pardon ?

— Tu m'as bien comprise ! T'as couché avec Thomas et avec Maxime. Je t'avertis, Véro te cherche. Elle est en c… contre toi. Moi aussi d'ailleurs.

— Écoute, c'est un accident. Je n'ai pas fait exprès !

— Tu es dégueulasse. Après tout ce que j'ai fait pour toi. Je vais dire à ma tante de te mettre à la porte.

— Après tout ce que t'as fait pour moi ? Tu avais pitié pour moi, tu veux dire, hein ? Et bien, je n'ai que faire de ta pitié. Je pensais que tu étais mon amie. Mais tout ce que tu veux, c'est me contrôler. Je te l'ai dit, je ne suis pas ta cause perdue. *Back off !*

Sur ce, je me lève, repousse ma chaise qui tombe avec fracas et, ignorant les regards surpris, je m'éloigne, la tête haute.

La tête haute, mais le cœur bien bas. Je suis lasse tout à coup. Personne ne comprend rien ici. Tout se retourne contre moi ! Je n'ai même plus de job. Adieu mon rêve de liberté.

Je suis tellement bouleversée, que je ne regarde pas où je vais. L'inévitable se produit : belle collision à l'angle des corridors de la chimie et de la physique. L'imprudent venant en sens inverse, marchait d'un pas aussi pressé que le mien. Feuilles et livres prennent le bord. Je me mets à quatre pattes pour ramasser ce gâchis.

— Surtout ne vous excusez pas. Il n'y a pas de quoi !

Silence. Je relève la tête pour regarder le malotru. Et je suis éblouie… Cet homme qui se dresse devant moi, me dominant de son imposante stature, ces cheveux couleur sable, ces yeux pétillants, cet air de repentir. Mon cœur se met à battre à tout rompre. Je ne pouvais pas me faire bousculer par plus séduisant personnage.

Mais qu'est-ce qu'il a à me regarder comme ça, sans dire un mot ?

— Hou ! hou ! Meunier, tu dors ?

L'inconnu sort de sa transe et me décoche un de ces sourires !

— Pardon, j'étais dans la lune.

— Sans blagues…

— Laisse-moi te donner un coup de main.

— Ce n'est pas trop tôt pour m'offrir votre aide.

Je fais ma brave, mais quand il se penche tout près de moi, c'est la folie furieuse dans mon cœur. Et quand il plonge ses yeux dans les miens, c'est la décharge électrique.

Il s'appelle Nicolas. Il a trente-quatre ans et il est prof de philo. Peut-être sera-t-il mon prof au prochain semestre ? En attendant, je regarde ses belles mains qui entourent sa tasse de café. Et ses lèvres qu'il trempe dans la boisson brûlante. Il m'a invitée au petit café du coin de la rue pour s'excuser de sa maladresse et j'ai accepté avec enthousiasme, oubliant que je suis à demi-coupable de cette rencontre du destin. Il est tellement beau. Sa douceur, son esprit, ses yeux. Je suis amoureuse… Nicolas, c'est peut-être mon billet pour la liberté. Première classe.

Évidemment, Yannick et ses amis ne m'adressent plus la parole et j'ai perdu mon emploi. Ce n'est pas grave. J'ai Nicolas. Ensemble, nous jouons à cache-cache avec le monde entier. Lui, avec le corps enseignant du cégep, moi avec mon père. Nicolas me promet la lune. Tout ce que je veux, c'est la sécurité et le confort que me procure son amour.

Il m'arrive parfois de le regarder dormir et de songer à mon père. Je voudrais que son image s'efface de ma tête. Mais je ne sais pas comment m'y prendre. Je n'aime pas sentir les mains de mon amant sur moi et m'imaginer que ce sont celles de mon père qui me caressent.

Je suis de moins en moins souvent à la maison. Quand j'y suis, mon père passe sans cesse des supplications aux menaces. Mais j'apprends à l'ignorer, comme il le fait si bien, lui, quand il est dégoûté de moi et qu'il n'est même pas capable de me regarder. Je suis lasse de ce jeu entre nous. Je veux le quitter, ne plus jamais le revoir. L'effacer de ma mémoire afin qu'il ne puisse plus s'introduire dans mes pensées. J'ai parfois l'impression qu'il est là, partout où je vais, à me guetter. Quand je tourne un coin, je retiens malgré moi mon souffle, m'attendant à ce qu'il surgisse de nulle part pour m'attaquer. Je me sens comme une petite fille que les monstres poursuivent encore.

Avec Nicolas, par contre, je me sens devenir plus mûre. J'ai l'impression que c'est moi, la plus adulte des deux. Il est tellement jeune de caractère. Un vrai petit garçon. C'est ce qui me séduit chez lui. Et puis, il exauce mes moindres souhaits sans rien me demander en retour. Seulement mon amour, que je lui prodigue sans hésitation. Je lui demande un jour :

— Nicolas, si tu m'aimes tellement, pourquoi est-ce que je ne viendrais pas habiter ici ?

— Tu es folle ! Tu es mineure !

— Et alors ?

— Et alors ! Si je me fais prendre, c'est la prison ou à tout le moins, je perds mon emploi.

— Ben voyons ! Tu vois le pire côté des choses. Qui saura que tu habites avec une mineure ?

— Tes parents, pour commencer.

— Tu peux dormir sur tes deux oreilles. Ils s'en fichent, je te l'assure.

— Comment ça, ils s'en fichent ?

— C'est une longue histoire.

— Raconte-la-moi. Tu ne me parles jamais de ta famille.

— C'est parce qu'il n'y a rien à en dire, O.K. ? Tu veux bien réfléchir à ma proposition ? J'ai tellement envie de vivre avec toi. Personne ne le saura jamais. De toute façon, les gens s'en fichent. Crois-moi.

Si je peux passer toute une vie avec un père abusif sans que personne ne lève le petit doigt, ça m'étonnerait qu'on fasse cas de ma relation avec Nicolas. De toute manière, j'aurai bientôt dix-huit ans. Et de toute façon, je prendrai n'importe quel risque. Du moment que je sorte de chez moi.

Au printemps, Nicolas rend les armes. Il m'invite à m'installer chez lui. J'accepte.

11
Le chantage

J'annonce la nouvelle à maman. Sa belle indifférence ne me surprend pas.

— Tu t'en vas ? Ça m'étonne. Et ton petit papa chéri ? Qu'est-ce que tu en fais ?

— Je te le laisse.

— Merci. Ça ne va pas fort entre vous deux depuis quelque temps. J'ai manqué quelque chose ?

Je la regarde, complètement abasourdie par sa mauvaise volonté.

— Tu as manqué toute une vie, en effet. La mienne.

— Qu'est-ce que ça veut dire, ça ?

— Es-tu aveugle à ce point ou fais-tu exprès ?

— Exprime-toi clairement. Si tu as quelque chose à me dire, dis-le.

Je voudrais bien lui dire. Maintenant que je m'en vais, je voudrais lui envoyer tous mes secrets à la figure, comme une claque ; lui faire ravaler son petit air supérieur. Mais je comprends désormais que sous ses dehors de dure à cuire, maman n'est qu'une femme faible. Je lui en veux de ne pas avoir su tenir tête à papa. Mais, à quoi cela m'avancerait-il de la briser complètement aujourd'hui ? Je pars de toute façon.

— Laisse tomber, je me contente de lui répondre d'une voix lasse.

— Tu as toujours été une enfant compliquée.

— Eh bien, tu devrais te réjouir de mon départ, non ? Tu es finalement débarrassée de moi, hein ?

— Aube…

— Quoi ?

Nous nous regardons pendant de longues minutes. Enfin, je m'approche d'elle en hésitant, puis je l'entoure de mes bras. Je la serre comme jamais elle ne m'a laissé le faire. Les yeux remplis de larmes, le visage enfoui dans son cou, je lui dis :

— Ce n'est pas grave. Je sais qu'on ne s'entend pas bien. Mais ce n'est pas grave. Je vais commencer une nouvelle vie. Et toi, tu vas t'occuper de Laure. La vie continue. Ce n'est pas grave.

Si, c'est grave. Ma mère ne m'a jamais aimée. C'est grave, ça. Mais c'est peut-être moi qui n'ai jamais mérité son amour.

— Tu peux l'annoncer à papa pour moi ? Je crois qu'il ne sera pas trop content…

Mon père accueille mal la nouvelle de mon départ. Il fait irruption dans ma chambre, que par mégarde je n'ai pas fermée à clé. Il se précipite sur moi, puis me plaque contre le mur. Ses yeux ne sont que colère.

— Si tu crois une minute que je vais te laisser partir d'ici, crie-t-il, tu te trompes, ma petite !

— Tu ne peux rien faire. Je vais avoir dix-huit ans dans quelques mois.

— Fais la fine tant que tu voudras, mais tu ne sortiras pas d'ici.

— Ah, non ? Et dis-moi donc comment tu t'y prendras pour m'en empêcher ? Tu vas téléphoner à la police et tu diras : « Excusez-moi, monsieur l'agent, ma fille, qui n'a pas dix-huit ans, veut absolument s'en aller de chez moi parce que voyez-vous, monsieur l'agent, j'abuse d'elle sexuellement depuis qu'elle est née ? »

Furieux, il commence à me secouer brutalement. C'est sa nouvelle façon de me faire entendre raison.

— Avec qui vas-tu habiter, hein ? Tu vas aller coucher avec un gars, c'est ça ? Réponds-moi ! C'est encore moi, ton père !

— Si tu avais été un vrai père, nous n'en serions pas là.

Il change subitement de tactique, il devient suppliant.

— Ne me laisse pas ici tout seul avec ta mère !

— Si tu es si malheureux que ça avec elle, pourquoi ne la quittes-tu pas ? Va te trouver une blonde de ton âge et laisse-moi tranquille !

— Je le savais que tu ne m'aimais plus.

— Arrête de dire ça !

— Je ne te laisserai pas partir.

— Je suis déjà partie...

Ça y est ! Je suis installée chez Nicolas, loin de mon père. Mais c'est étrange, plutôt que de me sentir désenchaînée, je reste accrochée à mon ancienne vie. Les premiers jours du moins, il m'apparaît bizarre de ne pas avoir à guetter les allées et venues de mon père. Je crains constamment son arrivée soudaine. Je m'attends toujours à ce qu'il surgisse chez Nicolas. Son fantôme me poursuit et me ronge. Je dois parfois me faire la leçon pour cesser de trembler, si j'ai cru le voir au détour d'une rue. *Tu dérailles, ma vieille,* me dis-je alors.

Quand je suis seule dans l'appartement, je me roule en boule sur mon lit et je pleure. J'essaie de me rassurer en me répétant que je suis en lieu sûr, qu'il ne me touchera plus, que je mène une nouvelle vie, que je suis belle, intelligente, drôle, généreuse et que je mérite d'être heureuse. J'essaie de me dorloter pour calmer mes doutes et mes angoisses, mon cœur qui bat trop vite. Ce n'est pas facile de laver ma tête, mon corps, mon cœur de sa présence.

La vie avec Nicolas et sans papa n'est pas si rose que ça.

Dans quelques semaines, le cégep fermera ses portes pour l'été. Nicolas propose que nous allions en vacances en Gaspésie. Ce projet m'enchante, je n'ai encore jamais voyagé. La vie ne pourrait être plus belle. C'est bien moi, ça, l'Aubienne qui mène une vie normale ? Chaque nouvelle journée m'apporte un peu plus d'assurance. Il n'y aura bientôt plus rien pour ternir mon bonheur.

L'avant-veille de notre départ, le téléphone sonne. C'est Laure. Je lui ai donné mon numéro de téléphone sur un bout de papier en lui faisant promettre de le cacher et de ne le montrer à personne. Elle m'appelle presque tous les jours. Elle me demande souvent :

— Quand reviens-tu à la maison, Aube ? Tu vas venir me voir pour ma fête ?

J'ai envie de pleurer quand elle me confie ses angoisses d'enfant. Je ne comprends pas pourquoi elle m'aime autant. Mais je lui en suis reconnaissante. Cette affection gratuite qu'elle m'accorde me fait du bien. Je me sens moins sale. Mais aujourd'hui, elle pleure.

— Laure, qu'est-ce que tu as ?

— Maman n'est pas là.

— Tu es toute seule. Papa n'est pas avec toi ?

— Oui, il est là.

— Alors pourquoi pleures-tu ?

— Il veut te parler.

— Quoi ? je m'exclame d'une voix agitée. Qu'est-ce que tu dis ? Laure ?

— Ce n'est pas Laure, c'est ton père.

Cette voix. Je sens mes jambes se dérober sous moi, mon cœur cesser de battre. Cette voix qui veut m'attirer de nouveau dans ses filets, séduisante et mortelle, comme celle d'une sirène. Cette voix me parle. Ses mots me font chavirer : « Je ne t'ai pas oubliée » ; ils m'inondent : « Je suis sûr que tu n'as pas pu m'oublier non plus » ; ils me noient : « Tu dois revenir »…

Le miroir du vestibule me renvoie le reflet d'une pauvre folle au regard égaré qui respire avec difficulté. Mécaniquement, j'essaie de mettre un peu d'ordre dans ma chevelure que je lisse et lisse, pendant qu'à l'autre bout du fil, mon père me démolit, encore une fois.

Je veux raccrocher. Tout mon moi me crie de le faire, mais je reste pendue au combiné.

— Aube, j'ai Laure avec moi. Ta mère n'est pas ici. Nous sommes seuls…

— Qu'est-ce que tu veux dire ?

— Il faut que nous parlions, toi et moi. Nous avons des choses à nous dire. Ne proteste pas. C'est inutile. Je sais ce qui est pour ton bien.

— Va au diable !

— Je te donne trente minutes, pas une de plus. Si tu n'es pas ici à trois heures piles, si tu ne viens pas, Aube, tu sais ce qui arrivera à Laure.

— Salaud ! Je t'interdis de la toucher !

— Dans trente minutes.

Je hurle ma haine, ma peur dans le récepteur, mais c'est la tonalité d'un téléphone mort qui me répond.

La course folle en taxi, dans les escaliers de mon ancienne demeure, jusqu'à ma chambre, cette petite mansarde de misère, tout se déroule à un train d'enfer. Mon père est le plus grand metteur en scène que je connaisse. Quand je le vois avec ma sœur, tous les deux allongés dans mon ancien lit, mon sang ne fait qu'un tour.

— Lâche-la ! je hurle en me jetant sur lui. Espèce de salaud, de vieux cochon, pervers !

Pour toute réaction, il éclate de rire. Il a des yeux de malade… Il ne semble pas avoir toute sa raison, il sent l'alcool.

— Tu bois maintenant ? je lui crie en le frappant de toutes mes forces.

Il essaie de me coincer tandis que Laure pleure à chaudes larmes. Il réussit à me jeter par terre et me suit dans ma chute. Je crie à Laure de se sauver, d'aller m'attendre dehors. Mais elle ne bouge pas d'un centimètre. Visiblement, elle ne comprend rien à la scène et elle reste figée sur place à nous dévisager.

— Laure, je lui crie de nouveau. Va-t-en !

Cette fois, elle m'obéit et s'enfuit en courant. *À nous deux*, me dis-je sous le poids de mon père. Pour me libérer, je lui assène un coup de genoux dans les parties génitales. Il lance un cri de douleur et roule sur le dos, les mains sur son sexe.

— Ça fait mal, hein ? dis-je en me relevant, à bout de souffle. J'aurais dû le faire il y a longtemps!

— Mais tu es revenue ! Ça veut dire que tu m'aimes encore !

— Mais tu dérailles, pauvre minable ! Ça veut dire que je suis venue chercher Laure. Je l'emmène avec moi. Et tu peux être certain que je vais tout dire à maman.

— Elle ne te croira pas !

— J'ai un témoin maintenant, pauvre con !

J'ai reculé jusqu'à la porte.

— Tout est ta faute, dit-il en rampant vers moi. Tu étais une vraie chatte en chaleur quand tu étais petite. Tu mettais ta mère tellement en colère qu'elle ne voulait rien savoir de moi.

— Je ne tombe plus dans ce panneau-là ! Je m'en vais. N'essaie pas de me suivre. Je ne veux plus jamais te revoir !

— Aube, tu te souviens quand je suis tombé du toit ?

Je le regarde avec pitié, puis je ris doucement. Mais intérieurement, je tremble comme une feuille.

— Cette fois, j'espère que tu ne manqueras pas ton coup.

— Tu ne peux pas t'en aller.

— Je te l'ai dit : je suis déjà partie…

Sur ce, je tourne les talons et je file dans l'escalier. Je l'entends qui emprunte les marches derrière moi. Puis, il y a le fracas d'une chute. Je me retourne pour regarder le corps affaissé de mon père sur le palier de l'étage. J'hésite, puis, froidement, je descends au rez-de-chaussée pour ensuite quitter à jamais sa maison. Laure m'attend sur le perron.

— Viens, ma puce. On s'en va.

— Tu veux qu'elle vive ici ? Avec nous ?

Ahuri, Nicolas nous dévisage l'une et l'autre. Nous offrons un bien triste spectacle.

— Seulement pour quelques jours. J'ai des choses à régler avec ma mère.

— Je ne comprends pas.

— Écoute, c'est une urgence, O.K. ? Mon père a essayé d'abuser d'elle ! Je ne peux pas la laisser à la maison avec lui.

— Quoi ? Et toi, est-qu'il a...

Je le regarde sans dire un mot. Une éternité passe. Il détourne enfin son regard, il paraît mal à l'aise.

— Aube, je veux bien aider, mais ce n'est pas une garderie ici !

Je croyais connaître Nicolas. Je lui ai fait confiance. J'ai accouru ici en premier en pensant à tort qu'il me protégerait. Je me suis trompée. À son air anxieux, embarrassé, je devine bien qu'il est dépassé par les événements.

— Laisse tomber, Nicolas. Si j'ai bien compris, Peter Pan vient de frapper son mur. Tant que tout n'était qu'un jeu entre nous deux, ça allait. Mais maintenant que les choses se gâtent...

— Aube...

— Laisse faire. Je m'en vais chez ma tante. Je t'appellerai de là-bas.

Il ne fait pas un geste pour me retenir.

Je monte dans un autre taxi avec Laure pendue à mes basques. Je ne sais plus trop où aller me réfugier. Dans les bras de tante Josée, oui, ce sont les seuls bras accueillants que je connaisse.

Laure n'a pas dit un mot depuis que nous avons quitté la maison de mes parents. J'essaie de la faire parler, mais je crois qu'elle est en état de choc. Ma pauvre petite sœur. Neuf ans. Elle en aura bientôt dix. L'âge où... Le salaud. J'espère qu'il ne lui a rien fait. Je me sens si coupable de l'avoir laissée dans cette maison, à la merci de notre père. J'espère qu'elle me pardonnera un jour. J'ai été stupide, pire, prétentieuse de croire que j'étais la seule qui pouvait compter aux yeux de notre père.

La décision que je prends alors m'apparaît comme la seule possible. L'heure est venue d'ouvrir la boîte d'explosifs sur laquelle je suis assise depuis tant d'années. Tic-tac, tout va sauter, je le sais. Mais je n'ai plus le choix. Je ne peux plus garder le silence. Je sais que tante Josée comprendra. Je souhaite seulement de tout mon cœur qu'il ne soit pas trop tard pour Laure.

Tante Josée n'est pas seule lorsque nous arrivons chez elle. Ma mère est là aussi. Mon cœur s'emballe une nouvelle fois. Je ne pensais pas devoir affronter ma mère si tôt. Mais je ne peux pas reculer.

— Mais qu'est-ce que tu fais ici avec Laure ? Je l'avais laissée avec son père à la maison. Qu'est-ce que vous avez ? Comment êtes-vous venues ?

Ma mère est toujours aussi sympathique, décidément. Je ne mâcherai pas mes mots, je vais lâcher ma bombe aussi durement que possible. Non pas par méchanceté, mais pour que ma mère soit bien fouettée et que s'ouvrent enfin ses yeux.

— Tu n'aurais pas dû la laisser avec lui. Je suis allée la chercher parce qu'il voulait coucher avec elle.

— Quoi ? Tu es folle ! De quoi parles-tu ? dit-elle, incrédule.

— Je parle de mon père, ton mari, qui aime ses filles un peu trop.

— Tu divagues. Tu dis n'importe quoi !

Mais elle tremble. Son teint a perdu toute couleur et son regard paniqué va de moi, à Laure, puis à sa sœur. Celle-ci intervient en s'exclamant :

— Ouvre-toi les yeux, Catherine ! Aube ne te mentirait pas pour une chose aussi grave. Ton mari est une ordure. Je te l'ai toujours dit !

— Ferme-la, Josée ! s'écrie ma mère. Tu ne le portes pas dans ton cœur, mais ce n'est pas une raison pour l'accuser d'une telle... bassesse.

Les mots étranglent sa gorge. Tout à coup, elle s'écroule sur le divan, comme si l'échafaudage de toutes ces années de mensonges et d'illusions cédait enfin.

— Laure, viens ici, dit-elle en tendant les bras vers ma sœur.

Celle-ci se précipite dans ses bras. Ma mère la couvre de baisers. Ce spectacle me serre le cœur, j'éclate en sanglots. Mais je dois trouver la force de poursuivre, de tout dévoiler.

— Maman ? Tu m'écoutes ? Papa couche avec moi depuis que j'ai dix ans.

Mais elle secoue la tête. Elle répète « non, non » inlassablement. Des larmes coulent de ses yeux au regard absent. Brusquement, je ressens le besoin d'ouvrir le tiroir de mes secrets, de déchirer l'enveloppe qui les renferme, comme un barrage qui céderait pour laisser s'écouler ma rage, mes angoisses, ma culpabilité, ma honte. Je suis toute nue devant maman, devant tante Josée, devant Laure. Après toutes ces années de silence, les mots se bousculent dans ma bouche, je suis maintenant pressée de les cracher.

— Et avant, il me touchait tout le temps. Il m'a montré comment me masturber, comment le masturber. Il appelait mon clitoris un jujube. Il me disait que les filles et leur papa font tous ça. Arrête de dire non, c'est vrai ! Va fouiller la bibliothèque, si tu ne me crois pas. Tu y trouveras mon journal intime caché dans une vieille encyclopédie.

Ma mère garde la tête obstinément baissée.

— Regarde-moi, c… !

Elle lève les yeux vers moi. J'y lis de la fatigue, une espèce de résignation… et de la haine.

— Dis quelque chose !

— Ce n'est pas suffisant que ton père et toi vous vous soyez foutus de ma gueule pendant toutes ces années. Maintenant tu essaies de me faire avaler que…

— Que tu as été aveugle au point de ne pas voir ce qui se passait sous ton nez, dans ta maison ? Je te le jure, maman, je ne suis pas ici pour faire ton procès. Il n'y a jamais eu d'amour perdu entre nous deux, mais je sais que tu aimes Laure. Et pour son bien, tu dois accepter la vérité.

— Tu m'as toujours détestée…

— Ça, c'est toi qui le dis. Maman, je n'ai pas voulu que ce soit comme ça entre nous. Papa passait son temps à me dire que tu ne voulais rien savoir de moi. Tu ne faisais pas beaucoup d'efforts pour t'approcher de moi, avoue-le. Je ne te voyais jamais quand j'étais petite.

— Je travaillais tout le temps ! Je n'avais pas une minute à moi. Ton père ne faisait jamais rien pour m'aider. Je vous ai fait vivre pendant je ne sais plus combien d'années ! Ç'a été un soulagement de pouvoir rester à la maison après la naissance de Laure. J'étais tellement fatiguée.

— Si tu savais à quel point j'étais jalouse que tu arrêtes de travailler pour elle.

— Mon Dieu, Aube. J'étais tellement heureuse de sa naissance. Je me disais : Celle-là, il faut qu'elle m'aime.

Toutes ces années de silence. Quelle erreur !

— Maman, ce n'est pas vrai que je ne t'aime pas. Tu es ma mère ! Je te jure, papa m'a montée contre toi. Il disait tout le temps que tu voulais m'envoyer à l'orphelinat. Je le croyais.

— Tu as toujours cru tout ce que ton père te disait.

Pour la deuxième fois, tante Josée, qui semble avoir gardé la tête froide, intervient :

— Catherine, tu es injuste ! C'était une enfant. Tu te souviens quand nous étions jeunes, les mensonges que l'on nous a racontés...

Elle se tait quand maman lui jette un regard d'avertissement. Puis soudain, ma mère se lève, l'air décidé. Elle essuie ses joues du revers de la main, et sort ensuite un mouchoir de sa poche.

— Je vais à la maison pour parler à ton père. Je vais tirer toute cette histoire au clair. Viens, Laure.

— Non ! Elle reste avec moi !

— Elle a raison, insiste tante Josée. Laisse la petite ici. Ça ne sera pas beau à voir. Vous risquez de la traumatiser. Elle est déjà dans tous ses états.

Maman s'incline. Mais elle ne change pas d'idée pour une chose : Elle veut voir son mari.

— Je veux que tu saches que je vais porter plainte, lui dis-je avant qu'elle ne parte.

— Tu ne peux pas faire ça !

— Pourquoi ? Après ce que je viens de te dire, tu as peur de ce qu'il va lui arriver ? Et moi, je ne compte pas ?

— Oui, mais… Qu'est-ce que les gens vont penser ? C'est des histoires de famille et ça ne regarde que nous. Qu'est-ce que nous allons devenir, Laure et moi ?

Cette femme me fera donc toujours enrager !

— Maman, pour l'amour du ciel ! Tu dis toi-même que tu parvenais à nous faire vivre. Je ne comprends pas pourquoi tu t'accroches à lui. Tu es capable de te débrouiller sans lui.

— Ce n'est pas aussi simple que ça, crie maman.

— Pour moi, ce l'est. Si tu ne veux pas que ton mari pose ses sales pattes sur ta fille, il faut le dénoncer.

Rien de ce que maman me dit ne peut me faire changer d'idée. Je suis inébranlable. Il est grand-temps que les choses changent.

12
Nue devant tous

Ça fait une heure que je suis plantée devant l'édifice du Directeur de la Protection de la Jeunesse. Je n'arrive pas à me décider d'y entrer. En fait, j'ai la trouille. Je sens que ma vie va changer de façon radicale et ça me fait peur. J'ai peur aussi que l'on me renvoie à la maison en me disant de cesser de me plaindre pour rien. Je les entends me dire : « Mademoiselle, franchement. Nous n'avons pas de temps à perdre avec une petite dévergondée et une ingrate de votre genre. Nous devons voler au secours d'enfants qui souffrent véritablement. Allez-vous-en avant que nous décidions de vous enfermer, petite fautrice de troubles. »

Pourtant, la dame du centre où j'ai téléphoné hier m'a assuré que tout irait bien. Comme je ne savais pas par où commencer, j'ai téléphoné au cégep, au département de l'aide pédagogique, et j'ai déguisé ma voix. Comme si quelqu'un avait pu me reconnaître! Le préposé m'a fourni une liste des centres d'aide pour jeunes et femmes victimes d'inceste. Le nombre de ces centres m'a impressionnée.

Puis, j'ai pris mon courage à deux mains et j'ai téléphoné à un organisme pas trop loin de chez moi, mais pas trop près non plus. Là aussi, j'ai déguisé ma voix, mais au bout de quelques minutes de conversation avec la préposée, je me suis laissée aller. Elle m'a rapidement mise au courant de mes droits et des démarches que je devais entreprendre. Elle m'a suggéré d'aller au bureau du Directeur de la Protection de la Jeunesse où des gens s'occuperaient d'écouter mon histoire, de la documenter, puis de me prendre en charge.

— Ne sois pas intimidée par tous ces gens, m'a-t-elle dit pour me rassurer. Ils sont là pour t'aider. Tu auras à répéter ton histoire plusieurs fois. Ce n'est pas parce qu'ils mettront en doute ce que tu leur diras, mais pour s'assurer qu'ils auront en main tous les faits pour mieux cerner la situation.

— Pensez-vous qu'ils ne me croiront pas ?

— Tu n'es malheureusement pas la première qui doit dénoncer un père ou un oncle abusif. Les intervenants ont l'habitude. Nous comprenons que tu as peur. Ça demande beaucoup de courage ce que tu fais. Mais pour ton bien et celui de ta famille, tu dois tenir bon.

— Mais, est-ce que mon père va aller en prison ?

— Pas nécessairement. Les temps ont changé. Il aura à suivre des thérapies s'il veut éviter la peine d'emprisonnement. Ton père a besoin d'aide…

C'est ce que je me dis, debout toute seule devant les marches de l'immeuble. Je n'y arriverai pas, je ne pourrai par leur parler. Je m'en vais.

Revenue chez Nicolas, je suis soulagée de constater qu'il n'y est pas. Est-il parti en Gaspésie ce matin, comme prévu ? Sans moi ?

Je téléphone chez tante Josée pour m'assurer que ma mère et Laure vont bien. C'est maman qui répond et elle me demande aussitôt si j'ai dénoncé mon père à la police.

— Je ne suis pas obligée de passer par la police, maman. Je peux aller directement à la DPJ. C'est d'ailleurs ce que je vais faire demain matin, à la première heure.

Je ne lui avoue pas ma faiblesse du matin. Je souhaite plus simplement trouver le courage pour réellement mettre mon projet à exécution.

— Mais pourquoi aller à la DPJ ? demande ma mère. J'ai mis ton père dehors ! Il ne reviendra pas. Toute cette histoire est terminée.

Je ressens un pincement au cœur. Cette histoire, pour moi, ne sera pas terminée avant longtemps.

— Tu es allée le voir ? Comment ça s'est passé ?

— Mal. Il a tout nié. Qu'est-ce que tu penses ? Mais Laure m'a dit hier qu'il a mis ses doigts sur son jujube. Je voulais le tuer. Je l'ai mis dehors.

— C'est tout ? lui dis-je, carrément révoltée. Tu penses que ce problème va se régler comme ça ? Tu vas le laisser revenir, je le sais. Ça fait longtemps que vous ne vous aimez pas, et pourtant, vous vous accrochez l'un à l'autre. Je ne peux pas courir le risque qu'il revienne. Pour Laure. Et puis, je veux qu'il soit puni. J'ai BESOIN qu'il soit puni.

— Tu es égoïste ! Pense à moi, à ta sœur ! À ce que les gens vont dire !

Je secoue la tête, fatiguée.

— Je pense à toi, je pense à Laure et je pense à moi. Les autres, je n'en ai rien à faire.

Maman raccroche rageusement. Quelques secondes après, la sonnerie retentit. C'est tante Josée.

— Aube? J'ai tout entendu, chuchote-t-elle. Écoute, ne laisse pas ta mère te décourager. Elle est trop orgueilleuse pour te laisser voir à quel point elle est bouleversée. Elle t'aime.

— Ça, j'en doute.

— Non, c'est vrai. C'est une tête de cochon, je l'admets. Elle est hypersensible, susceptible et pas toujours de bonne foi. Mais elle est comme ça parce qu'elle a souffert. Les foyers d'accueil, c'est pas toujours un cadeau. Écoute, ta mère a vécu quelque chose de semblable à ce que toi, tu vis. Alors, tu peux comprendre que pour elle, cette histoire est importante. Imagine ce qu'elle peut ressentir…

Ma mère abusée… Je n'en crois pas mes oreilles. Pour un choc, c'en est tout un. Comment a-t-elle pu laisser mon père faire, dans ce cas ? Comment a-t-elle pu se taire, fermer les yeux ? Elle sait, elle a vécu, elle a ressenti la honte. Est-ce parce qu'on en arrive à oublier un jour ? Je n'ai plus envie de parler avec ma tante. Je dois réfléchir.

— Je ne t'ai rien dit, O.K. ? reprend Josée. Si elle savait que je t'ai parlé de son histoire, elle me tuerait. Et après ce qu'elle a fait à ton père, j'aime mieux me tenir sur mes gardes.

— Qu'est-ce que tu veux dire ?

— Elle l'a frappé ! Et pas à peu près. Ton père est encore à l'hôpital en train de faire soigner sa mâchoire cassée. Ta mère, elle, a une entorse au poignet.

Nous raccrochons. Je suis abasourdie. J'ai une mère qui a été elle-même abusée et qui se prend maintenant pour Mike Tyson ! *Chère maman, comme tu m'es étrangère !*

Je décide d'aller passer le reste de l'après-midi à la bibliothèque pour consulter des livres traitant de l'inceste. Je referme le premier livre d'un geste brusque. J'ai peur d'y voir écrit en grosses lettres noires : « Aube et Patrick : Fille et père de la famille des anormaux, des malades et des dépravés ».

Je dois néanmoins en savoir plus. J'ouvre le livre à nouveau, à la première page, et quelques minutes plus tard, j'oublie où je suis. Je suis plongée dans un autre univers. Un univers fascinant et terrible à la fois où j'apprends que je ne suis pas la seule, bien au contraire, et que je ne suis aucunement fautive. J'accepte que le mot « inceste » fasse désormais parti de mon vocabulaire.

En début de soirée, je reviens chez moi. Toujours pas de signe de Nicolas. Je tourne en rond, comme une lionne en cage. Je me sens prête à affronter les autorités, mais je crains de flancher encore une fois.

J'ai soudain une idée. D'une main tremblante, je tends la main vers le téléphone et je compose un numéro. Après plusieurs sonneries, une voix répond :

— Allô ?

— Yannick ?

— C'est moi. Qui est-ce ?

— C'est Aube.

— …

— Ne raccroche pas ! Je t'en prie. Il faut que je te parle…

— Écoute-moi bien, Aube. Je ne suis plus avec Thomas. Dans le fond, je devrais te remercier du service que tu m'as rendu parce que c'était un con. Mais je t'en veux encore et je ne suis pas près d'oublier ce que tu m'as fait. Tu t'es foutue de ma gueule.

— Je sais, je m'excuse…

— Non, attends ! Je sais que tu pensais que j'étais une petite snob condescendante qui voulait t'impressionner. Mais j'ai quand même été correcte avec toi. Je t'ai trouvé un emploi, je t'ai fait rencontrer mes amis… Me faire remercier comme tu l'as fait, je peux m'en passer…

— Tu t'es bien défoulée ?

— Non, mais…

— Arrête ! J'ai un service à te demander. J'ai besoin de quelqu'un pour venir avec moi à la DPJ.

— Pardon ? fait-elle, interloquée.

— Si je te le demande, c'est parce que je n'ai personne d'autre. Je n'ai pas d'amis, je n'en ai jamais eus ! Et j'ai peur d'y aller toute seule.

— Pourquoi as-tu besoin d'aller là ?

— À cause de mon père.

— Ah… ça ne m'étonne pas. Il t'a battue ?

— Non. Il abuse de moi depuis que je suis toute petite. Tu avais raison quand tu disais qu'il est étrange.

Le silence s'installe. Je conclus que je devrai m'habituer à sa présence, lorsque je dévoilerai mon secret.

— Aube, je m'excuse, reprend-elle au bout d'un moment. Je ne le savais pas.

— C'est moi qui te dois des excuses. Si tu savais à quel point je regrette ce que je t'ai fait. C'est vrai que j'avais l'impression que je n'étais qu'un cas de charité pour toi, mais je ne veux pas que tu croies que j'ai couché avec Thomas pour me venger ou me moquer de toi. Je l'ai fait parce que je voulais tellement être comme toi.

— Comme moi ?

— Oui. Une fille normale qui voulait perdre sa virginité avec le gars qu'elle aimait. J'en rêvais.

— *Wow...* Je ne sais pas quoi te dire...

— Tu vas venir avec moi demain ?

— ...

— Yannick ?

— Où, quand, comment ?

Nous sommes deux à être plantées devant l'immeuble à attendre que je trouve le courage d'y entrer.

— Qu'est-ce que t'attends ? me demande Yannick.

— Le tapis rouge, la banderole géante qui me souhaiteraient la bienvenue !

Malgré nous, un rire nerveux nous échappe.

— Tu sais, reprend Yannick, leurs bureaux, ils devraient les mettre sur le trottoir. S'ils savaient le nombre de jeunes qui doivent poireauter devant la porte parce qu'ils sont incapables d'entrer.

— Ça serait très discret comme méthode !

— Aube, pourquoi as-tu attendu aussi longtemps ?

— Qu'est-ce que tu veux dire ?

— Depuis le temps que ton père abusait de toi...

— Yannick, c'est vraiment pas le moment de me poser cette question-là ! Je manque déjà assez de confiance en moi !

Les secondes passent. Je sens ma détermination fléchir. La question de Yannick m'a fait mal. Je suis un monstre, c'est incontestable, les gens que je vais rencontrer ne se gêneront pas pour me dire : « Honte à toi d'avoir attendu aussi longtemps. Dans le fond, c'est parce que tu aimais ça ! »

— Non ! Ce n'est pas vrai !

Yannick me regarde, surprise. Sans m'en rendre compte, je me suis exclamée à haute voix.

— Je pensais… Tu sais quoi ?

— Non, quoi ?

— J'ai fini d'attendre.

Sur ce, je me dirige d'un pas ferme vers la porte, je l'ouvre et j'entre. Yannick me suit pas à pas.

J'énonce d'une voix tremblante, et en guettant sa réaction, le but de ma présence à une préposée. Elle me demande de m'asseoir en attendant qu'un agent puisse me voir. Yannick et moi prenons place. Au bout de quelques minutes, l'attente m'est insupportable. J'ai l'impression d'être chez le dentiste. Sauf que mon mal est pire qu'un mal de dents.

Enfin, une femme me fait signe de la suivre.

— Bon courage, me souffle Yannick. Je t'attends ici.

Je lui souris faiblement. Puis je marche derrière la femme avec l'impression de me rendre à l'échafaud.

Dès que je commence à raconter mon histoire, je me sens mieux. C'est vraiment comme chez le dentiste. On souffre d'un mal de dents pendant des semaines, des mois avant de trouver le courage de prendre un rendez-vous, et quand finalement on s'installe sur la chaise et qu'on ouvre tout grand la bouche, ça va déjà mieux. Peu importe que le dentiste critique notre négligence, du moment qu'il nous soulage.

Je me sens comme ça en présence de cette femme au visage impassible qui écoute mon histoire sans broncher en inscrivant Dieu sait quoi dans un cahier. Au fur et à mesure que je parle, je me sens libérée de mon fardeau. Je lui dis tout comme je m'y suis exercée dix mille fois déjà. Mais je m'embrouille un peu dans mon récit, j'avance, je recule dans le temps, je précise, je me reprends, je m'excuse, mais toujours, cette femme me regarde sans rien dire. Soudain, je veux qu'elle dise quelque chose ! Je veux lui arracher son cahier et lire ce qu'elle y écrit sur mon sujet. Son silence me semble une condamnation. Va-t-elle ordonner que l'on m'enferme à double tour ? Ou me renvoyer chez moi, comme je le craignais ? Finalement, je dois l'admettre, j'ai besoin de l'approbation de cette femme.

Mon histoire racontée, j'attends le verdict nerveusement. Finalement, elle me dit :

— Tu viens de franchir une grande étape. Tu n'es pas au bout de tes peines. Il faudra que tu rencontres d'autres personnes à qui tu vas répéter ce que tu viens de me dire. Mais déjà, tu as accompli beaucoup. Tout ira bien.

Je me courbe sur ma chaise et je me mets à pleurer de soulagement, la tête sur mes bras croisés, posés sur le bureau de la dame. J'ai remis comme ça mon sort et celui de mon père entre les mains de gens que je ne connais pas. Les dés sont jetés...

13
Aube naissante

Mon père a commencé à me violer dès ma naissance. Pas physiquement au début, bien sûr, mais il l'a fait mentalement, en usant d'autorité, de mots et de gestes persuasifs, en me manipulant. Avant même que ma propre personnalité soit formée, il a fait de moi son objet de désir, de fantasme, son objet tout court. Il a pénétré dans ma tête, dans mon âme, en se faisant passer pour mon héros, mon prince charmant qui pouvait, au gré de son humeur, faire de moi l'enfant la plus heureuse au monde, ou la plus malheureuse.

Aujourd'hui, je dois témoigner contre lui. Pour la millième fois, je dois raconter notre histoire. J'ai l'habitude maintenant. Ma voix ne tremble presque pas et je ne me trompe plus dans les faits. Comme prévu, j'ai rencontré plusieurs intervenants avant que l'on achemine mon dossier en bonne et due forme au Tribunal. La Commission a demandé à rencontrer ma mère et Laure afin de les interviewer. À la suite des examens d'usage et de l'évaluation psychologique, les médecins nous ont appris, heureusement, que Laure n'a pas été violée par mon père. Les attouchements avaient commencé dès mon départ de la maison, mais il n'avait pas eu le temps d'aller plus loin.

Papa aussi a été questionné. Il a enfin concédé les faits. Selon mon père, ses parents, mes grands-parents, auraient tous deux abusé de lui, enfant. Il a fui la ferme étant tout jeune pour ne jamais y remettre les pieds. Mais son désir d'avoir une famille à lui était si grand, une famille qui l'adulerait sans condition, qu'il a épousé la première femme venue qui lui semblait facilement malléable.

Tout cela est d'une tristesse et d'une morbidité telles que pendant plusieurs jours, j'ai pleuré, et j'ai prié pour que cette maladie, qui semble s'en prendre à notre famille depuis des générations, ne dorme pas en moi. Ou ne fasse pas de moi une victime pour la vie.

J'ai quitté Nicolas et son appartement la même semaine où le drame a éclaté pour aller vivre temporairement chez tante Josée. Maman y vient souvent et chaque fois que nous nous croisons, elle garde la tête baissée. Elle se fait bien petite ces temps-ci. Elle m'en veut sans doute parce qu'à la requête de la DPJ, elle a dû rencontrer des intervenants sociaux pour des évaluations de la situation familiale. Elle aura bientôt à entrer en thérapie, seule, puis avec moi. Mon intervenant me dit que c'est nécessaire pour reconstruire les liens familiaux et réapprendre aux membres à apprivoiser leur place dans la famille. Autrement dit, nous avons besoin de nous faire rééquilibrer !

Pour avoir une longueur d'avance et parce que j'estime que le silence entre ma mère et moi doit cesser, je lui ai proposé que nous nous rencontrions une fois par semaine, elle et moi seulement. « Pour refaire connaissance, » lui ai-je dit.

À notre première rencontre, nous avons décidé d'aller magasiner, puis d'aller manger au restaurant. Les premiers instants, le malaise entre nous est palpable. Mais, peu à peu, les barrières tombent. Nous évoquons le passé, les crimes de mon père.

— Tu sais, quand j'y pense, ton père devait sûrement mettre des somnifères dans mon thé après le souper. Je me souviens que je dormais tôt et beaucoup. J'étais incapable de me lever le matin. Je me rappelle comment j'étais fatiguée à cette époque. J'ai trouvé une bouteille de somnifères dans un de ses tiroirs en débarrassant ses affaires. Je sais bien que lui n'en prenait jamais.

Je me souviens de cette période lointaine où papa venait me retrouver la nuit pour changer ma couche et pour jouer avec moi. Mon père, ce manipulateur…

Je ne sais pas si maman le dit pour se disculper, mais son histoire de somnifères est plausible. Les verres d'eau géants n'étaient qu'une goutte dans le vaste océan du machiavélisme de mon père. Il n'aurait reculé devant rien pour détruire notre relation mère-fille.

De mon côté, je fais aussi mes devoirs. Je vais chez une thérapeute une fois par semaine pour y cracher mes états d'âme. Au début, j'oscillais entre le soulagement et la culpabilité, la honte et le désir d'être normale. Heureusement, Guylaine, ma thérapeute, est patiente et compréhensive. Avec elle, j'exorcise les démons de mon enfance, je fais fuir les monstres de ma garde-robe.

— Ç'a été dur de porter plainte contre ton père ? m'a-t-elle demandé un jour.

J'ai réfléchi longuement avant de répondre.

— Ç'a été la chose la plus difficile à faire de ma vie.

— Pourquoi l'as-tu fait ?

— Pour Laure. Il fallait que je dise quelque chose.

— Tu aimes ta sœur ?

— C'est drôle, je la détestais quand j'étais jeune. Mais en vieillissant, je me suis sentie responsable d'elle. Et puis, je l'ai fait pour ma famille. Pour arrêter tout ça. Je sais que j'ai bien fait. Au début, j'avais peur parce que je ne voulais pas que mon père aille en prison, que ma mère me déteste encore plus et que j'empêche Laure d'avoir une famille. Mais elle est malade, cette famille. Mon père surtout a besoin d'aide.

— Tu ne te sens plus responsable de ce qui arrivé à ta famille ?

— Je suis responsable. J'ai pris moi-même cette décision. Mais je ne suis pas coupable. Je n'ai rien fait de mal. J'ai voulu aider ma famille, c'est tout.

— Comment ça va, avec ta mère ?

J'ai souri en répondant :

— Mieux. Ça va mieux. Ce n'est pas facile. Elle n'est pas tellement chaleureuse. Mais je ne lui en veux plus d'avoir accouché de moi d'une drôle de manière !

J'ai hésité, puis j'ai ajouté :

— Tu sais, je suppose que si j'ai dénoncé mon père, c'est pour moi aussi. Pour me libérer de lui. En disant à haute voix ce que je cachais au fond de moi depuis si longtemps, ça m'a fait prendre conscience du mal qu'il me faisait et que je n'avais pas à avoir honte… tu comprends ?

Guylaine a hoché la tête. Elle m'a souri. Je crois que ce jour-là, j'ai fait du progrès… Et puis j'ai appris que je ne veux plus être une victime ! Ça, c'est vraiment du progrès !

Aujourd'hui, je regarde mon père qui siège à l'autre table à la Cour. C'est la première fois que je le vois depuis ce fameux jour, il y a plusieurs mois. Jusqu'à maintenant, il ne m'a pas accordé un seul regard. Même quand je témoigne contre lui, il garde la tête obstinément baissée. Comme il doit me détester.

Mon procureur m'a dit que mon père a eu d'abord l'intention de plaider non-coupable aux accusations portées contre lui. Il niait tout avec véhémence. Ça ne m'étonne pas de sa part. Mais son avocat lui a fortement déconseillé d'exiger une contre-expertise. Les preuves sont trop accablantes et concluantes. Mon père s'est incliné.

Après mon témoignage et celui des experts, la Cour déclare que mon père doit s'en remettre à l'autorité d'un thérapeute qui veillera à sa réhabilitation et à son intégration sociale. En acceptant de suivre le traitement, il évitera une peine d'emprisonnement. À cette annonce, une myriade de sentiments m'envahit : la pitié, le soulagement, le regret d'avoir perdu mon père. Il n'a pas le droit de me voir, ni Laure, et bien entendu, maman entamera sous peu des procédures de divorce. Il n'ira pas en prison certes, mais il a quand même tout perdu.

Quand il quitte la salle, il me jette un regard. Je ne sais pas quoi y lire. La haine, le regret ? M'en veut-il parce qu'il croit que je l'ai trahi ? Je voudrais l'entendre me dire qu'il me pardonne, qu'il comprend pourquoi je l'ai dénoncé. Mais son regard se détourne du mien. Me demandera-t-il pardon un jour ?

Épilogue

Cher papa,

J'ai eu dix-neuf ans aujourd'hui. Peut-être que tu t'en fiches. Probablement que tu me détestes maintenant. Si ça peut te consoler, j'ai mal parfois de ne plus être ta petite princesse. Ça me manque, toute cette chaleur, tout cet amour que tu me donnais. Mon deuil de toi est difficile à porter. Mais combien de fois ai-je pensé à toi avec mépris, haine, révulsion et rancœur ?

Malgré tout, ma vie sans toi se déroule assez bien. J'entre à l'université en septembre en sciences informatiques. Après quelques échecs amoureux, j'ai un copain. Nous sommes ensemble depuis plusieurs mois. Il est gentil, doux, drôle, compréhensif. Mais parfois, j'ai peur de le perdre, papa. Si tu savais comme je le pousse à bout, comme si je voulais tester son amour ou le faire fuir parce que je ne le mérite pas. Je lui ai raconté ma vraie histoire. J'ai pleuré pendant des heures. J'ai guetté sur son visage le moindre signe de dégoût ou d'horreur. Mais je n'y ai lu qu'amour et compassion.

Tu m'as légué une crainte des hommes, un désir de les séduire tous et de les fuir à la fois. Ce pouvoir sur toi que j'avais quand j'étais petite, c'est dur de l'oublier. J'espère pouvoir faire confiance à David, c'est son nom, et ne pas détruire cet amour tout nouveau entre nous.

J'espère que tes sessions de thérapie te font du bien. Moi, elles m'aident énormément. Grâce à elles, je ne me sens plus trahie par mon propre corps. J'apprends à apprivoiser cette petite fille qui ne connaissait rien d'autre que l'univers de son père. J'apprends à comprendre que les relations entre humains ne sont pas basées sur la notion de « dominé/dominant », mais bien sur celle du respect. J'apprends à me respecter et à ne pas avoir honte de t'avoir aimé... et de t'aimer encore.

Ça t'étonne ? Peut-être que non. Peut-être ne te sens-tu aucunement coupable de ce que tu m'as fait ? J'espère que non. Ressens-tu parfois de la honte ? C'est un signe de progrès, tu sais. Si seulement tu pouvais être assez fort pour affronter les démons de ton passé.

Tel père, telle fille... Quand tu étais un petit garçon, n'es-tu pas tombé des nues quand ton père, lui, est tombé du piédestal sur lequel tu l'avais placé ? N'as-tu pas souffert chaque fois qu'il te touchait ? N'as-tu pas été déchiré par l'amour et la haine à la fois ? Combien de fois as-tu essayé de récurer ton corps des mains qu'il posait sur toi ? N'as-tu pas été aux prises avec le doute, le pardon, la honte, l'humiliation, le regret, la frustration et plus que tout, un amour que tu voulais continuer à lui prodiguer et surtout, recevoir de lui ? Je t'en veux de l'avoir oublié. Ta famille t'a jeté un sort, tu ne l'as pas rompu. Tu me l'as transmis.

Si tu avais pu être mon prince pour de vrai...

Aujourd'hui, je fais le travail que tu aurais dû faire. Je libère notre famille de ce legs maudit. Je me suis fait une promesse, papa : je veux une vie normale. Jamais plus je ne serai la victime de personne, jamais je n'épouserai l'homme qui fera de mes enfants l'objet que tu as fait de moi. Je suis l'Aube Naissante, qui chaque matin, a l'espoir que sa vie ira beaucoup mieux, qui malgré les erreurs de parcours, les échecs occasionnels, renaîtra de ses cendres pour persévérer. Je brise le mur du silence pour rompre le cercle maléfique. Pour moi, pour Laure et pour nos enfants... Pour tes petits-enfants.

J'espère qu'un jour, tu comprendras qu'il fallait que je te dise adieu pour mieux me retrouver et qui sait, un jour, te retrouver. Je rêve souvent que tu te présentes à moi, en homme changé, repentant et qui, pour le reste de sa vie, voudra bien être le père auquel je n'ai pas eu droit dans mon enfance.

À bientôt peut-être...

Aube Naissante
1997

Guide d'aide
et d'intervention sur l'inceste

L'inceste est tout à fait INACCEPTABLE, comme toutes les agressions sexuelles, physique ou psychologiques.

Dans les pages qui suivent, on parlera de l'inceste père/fille, parce que ce sont les cas d'inceste les plus fréquents. Mais il ne faut pas oublier qu'il existe des cas d'inceste oncle/nièce ; frère/sœur ; grand-père/petite-fille, etc.

D'abord, qu'est-ce que l'inceste ?

C'est avoir des relations sexuelles — ou subir des attouchement sexuels — avec un membre de sa famille : père, mère, frère, sœur, demi-frère, demi-sœur, tante, oncle, cousin, cousine, grand-père, grand-mère, beau-père, belle-mère ou le conjoint de fait de sa mère ou de son père. Ça fait beaucoup de monde, mais ce sont tous des gens qui font partie de ta famille !

Ce qui se passe plus souvent qu'autrement...

On a remarqué que c'est souvent la fille aînée qui est victime d'inceste en premier ; puis le père se tournera vers une fille plus jeune lorsque l'aînée aura grandi.

Généralement les relations incestueuses commencent en bas âge, vers deux ans. Lorsque la fillette atteint l'âge de neuf ou dix ans, c'est là qu'elle commene à comprendre que la relation qu'elle entretient avec l'incestueux n'est pas normale. Certaines petites filles arriveront à parler à cet âge-là, d'autres ne pourront le faire qu'en arrivant à l'adolescence, et d'autres encore attendront à l'âge adulte. Mais beaucoup trop ne diront jamais rien !

Ce que l'enfant abusé ressent varie sur une large gamme d'émotions et de sentiments ; ainsi on peut dire :

1. Souvent la fille acquiesce aux demandes de faveurs sexuelles de son père, parce qu'elle ne comprend pas ce que cela implique. Une jeune enfant ne peut pas comprendre que ce que son père lui demande est mal ; il doit savoir ce qui est bon pour elle, c'est lui l'adulte, c'est lui le père.

2. La jeune fille abusée éprouvera souvent beaucoup de haine pour sa mère qui ne parvient pas à la protéger. Et en même temps, elle éprouvera un grand sentiment de rivalité envers celle-ci. Pourtant, la fille a besoin de l'amour de sa mère et souffre d'avoir été abandonnée, et de devoir vivre avec ce terrible secret.

3. Envers son père aussi ses sentiments sont confus. Son père l'avantageant souvent par rapport à ses frères et sœurs, elle se sent valorisée. Mais en même temps, elle vit dans la peur constante des menaces et du chantage : « Papa ne t'aimera plus si tu ne fais pas ce qu'il te demande ! » Et puis, ce même père ne l'empêche-t-il pas d'avoir des amis(es) de son âge, de sortir, de vivre sa vie ? Cette situation est énormément frustrante.

4. Abandonnée par sa mère, abusée par son père, la jeune fille ressent de la confusion et de la culpabilité. Tout est sa faute, elle n'est pas une bonne fille.

La situation incestueuse évolue au fil des ans

D'abord, les premiers gestes du père peuvent être pris pour des marques d'affection ; mais peu à peu, ce sont des manifestations d'affection plus sexuelles qu'il va entreprendre.

Avec le temps, il va en venir à toucher les organes génitaux, les seins, puis il y aura masturbation réciproque et la situation va empirer jusqu'à la relation sexuelle complète.

Je suis victime, dois-je en parler ou non ?

Oui, il faut en parler, même si cela te demande énormément de courage !

D'abord, il faut que tu trouves quelqu'un en qui tu as pleinement confiance, cela peut être un membre de ta famille, ou alors un ami, un professeur.

Et surtout, tu ne dois pas te décourager ! Les premières fois, il se peut qu'on ne te croit pas. Tu sais, il y a beaucoup de gens qui ne pensent pas que de telles choses puissent arriver. Dans ce cas-là, continue à chercher quelqu'un qui te croira et qui pourra t'aider.

Si tu n'as plus confiance en personne dans ta famille, il existe des organismes d'aide qui sont là spécialement pour toi (comme ceux répertoriés à la fin de ce livre). Tu peux aussi tout simplement te confier à un policier, à l'infirmière de l'école, à un professeur...

Lorsque tu te trouveras en face d'une personne ressource, beaucoup de questions vont t'être posées. Ce sera difficile, mais très important d'y répondre. Prends le temps qu'il te faut, raconte les faits comme ils te viennent, même si tu ne te souviens plus des dates et de tous les événements. Parfois, en parlant, on se souvient de choses qu'on pensait avoir oubliées.

On va te demander de décrire les actes commis contre toi ; où ton père t'a touchée, comment se sont passées ses caresses. C'est gênant, mais la personne que tu as en face de toi a déjà entendu ces mêmes mots dans la bouche d'autres enfants, elle sait de quoi tu parles.

Pourquoi ma mère ne fait-elle rien ?

La plupart du temps, les mères ne sont pas au courant de ce qui se passe et les victimes s'attendent à ce que leur mère devine ce qu'elles vivent.

Mises au courant, certaines mères refuseront de croire ce que dit leur fille, mais la plupart dénoncera l'abuseur sur-le-champ.

Et mes frères et sœurs ?

Le secret est lourd à porter, pour tous les enfants de la famille, qu'ils soient eux-mêmes abusés ou non.

D'ailleurs, il arrive souvent que le père rejette son fils pour se tourner exclusivement vers ses filles. Les enfants se sentent en état de privation sur le plan affectif et de la rivalité peut même s'installer entre eux pour obtenir l'attention du père.

Dénoncer son père, ou pas ?

Si la jeune fille ne le dénonce pas, le père risque de continuer à abuser d'elle, à garder une emprise très forte sur elle. Si la jeune fille vieillit et quitte la maison à sa majorité, le père risque de se tourner vers un autre membre de la famille, souvent une fille plus jeune.

Si le père est dénoncé, il faut savoir que son crime est passible de quatorze ans de prison.

Quelle sera la réaction de mon père s'il est dénoncé ?

S'il est dénoncé, il est fort probable que ton père niera d'abord tout. Puis, finalement, il va reconnaître les faits, mais il dira que cela ne te cause aucun tort et que, tout ça, c'est la faute de sa femme qui est très « froide » à son égard ; il pourra même dire que c'est toi qui l'a séduit.

Le syndrome de l'inceste, qu'est-ce que c'est ?

Il existe plusieurs symptômes qui permettent à des spécialistes de déceler des cas d'inceste potentiels. Et ces symptômes sont tout aussi présents chez les victimes qui parlent de leur histoire que chez celles qui se taisent.

1. L'anxiété : Durant toute la relation incestueuse, les enfants abusés ressentent énormément d'anxiété et cela se poursuit et atteint même un point très élevé lorsque l'abuseur est dénoncé.

2. Victime et bouc émissaire : C'est un sentiment très dur à supporter. L'enfant se sent victime de son père et bouc émissaire de la part de tous les autres membres de la famille. Et surtout de la mère qui l'a abandonnée et qui lui met tous les torts sur le dos.

3. Perte de l'estime de soi : Très longtemps, les victimes perdent toute confiance en elles, et se dénigrent continuellement. Elles se sentent sales et ont le sentiment d'être mortes.

4. La fuite : Les enfants abusés vont tenter des fugues,

ou alors certains vont fuir dans la drogue, l'alcool, la délinquance, etc.

5. La confusion des sentiments : La victime se sent abandonnée, seule, impuissante et pourtant en elle, l'amour et la haine se mélangent, aimant ceux qu'elle hait, haïssant ceux qu'elle aime.

7. Les relations seront sexualisées : On entend par là qu'il sera difficile pour les victimes d'entretenir des relations simplement sociales, toute marque d'affection représentant dans leur esprit une activité sexuelle. Il ne faut pas oublier qu'elles ont été conditionnées à satisfaire les désirs seuxels d'autrui et se voient comme un objet sexuel.

8. Une sexualité prononcée : Les jeunes filles pourraient se tourner vers la prostitution, et seront provoquantes envers les hommes et les garçons.

9. La culpabilité : La jeune fille se sent à la fois victime et coupable. Coupable d'avoir été la partenaire sexuelle de son père, la rivale de sa mère, et coupable d'avoir brisé la loi du silence, d'avoir fait condamner son père à la prison, d'avoir brisé sa famille, etc.

Garde espoir, malgré tout...

1. Il faut d'abord prendre la décision de faire quelque chose pour toi, pour te protéger. Ce qui n'est pas si simple qu'on le croit.

2. Il faut commencer à rassembler tes souvenirs, penser à tous les sentiments que tu as toujours refoulés.

3. Les souvenirs, surtout lorsqu'on essaie de se rappeler ce qui s'est passé quand on avait un, deux, trois ans, ce n'est pas une mince affaire. Et là, il faut te méfier. Car, parfois, tu en veux tellement à ton père que tu peux

te créer de faux souvenirs, sans le faire exprès. Et cela risque de te porter préjudice lorsque tu recevras de l'aide.

4. Même si ce que tu vis te semble parfois irréel, n'oublie pas que tu souffres et que tu le sais.

5. Vient ensuite le moment de briser le silence. Choisis un confident en qui tu as pleine confiance. Partager ton secret t'aidera à évacuer ton sentiment de honte.

6. Il t'arrivera de te sentir coupable d'avoir été abusée. N'oublie pas que c'est l'abuseur le coupable, pas toi !

7. Apprends à ressentir de la compassion pour toi-même et à faire confiance aux personnes qui peuvent t'aider. Cela peut être difficile, nous le savons, mais c'est essentiel.

8. C'est le moment de retrouver confiance en toi. Suis ton idée, tes sentiments, réagis !

Mon amie m'a raconté qu'elle est victime d'inceste. Que dois-je faire ?

D'abord l'écouter ! Ton amie en a besoin. Et puis, il faut que tu la rassures, que tu lui dises que tu la crois. Les gens qui ont vécu de telles souffrances, et qui parviennent à en parler, ne mentent pas.

Tu peux lui proposer de l'accompagner à la police, dans un CLSC, dans un autre organisme d'aide, ou au bureau du Directeur de la Protection de la Jeunesse, ou simplement tu peux lui dire que tu seras à ses côtés, que tu lui tiendras la main lorsqu'elle entreprendra ses démarches. Ta présence et ta compréhension peuvent énormément la rassurer.

Oui, mais voilà, ton amie t'a demandé de garder le

secret ! Et tu ne sais plus quoi faire ?

Ton amie a dû se sentir très mal lorsqu'elle t'a parlé de sa situation, donc elle est malheureuse. As-tu le droit de garder un secret qui soit si néfaste pour elle ? Peut-être cherchait-elle ton aide et qu'elle ne savait pas comment te le demander ? Alors elle aura exigé le secret.

Si c'est ton amie, sa sécurité, son bien-être sont très importants ; donc, tu dois divulguer son secret à des personnes compétentes (infirmière de l'école, travailleuse sociale, professeur, etc.). Toi-même, tu aimerais sans doute avoir son aide si tu étais dans la même situation. Par contre, ne va pas raconter son histoire à n'importe qui ! Assure-toi que la personne à qui tu vas en parler puisse effectivement l'aider.

La petite fille du voisin m'a parlé d'abus sexuel !

Si c'est une toute jeune enfant qui vient te parler, il faut l'écouter attentivement. Surtout ne passe aucun commentaire. Il se peut que l'enfant ait du mal à trouver les mots justes et que ce qu'elle te raconte soit confus. Mais laisse-la se libérer de tout cœur, même si elle ne sait pas toujours comment choisir les mots pour le faire.

Ensuite, montre-lui que tu as compris et que tu prends au sérieux ce qu'elle vient de te dire.

Puis, rassure-la. Souvent l'enfant ne sait plus si elle a bien fait ou non de parler, dis-lui qu'elle a fait exactement ce qu'il fallait. Si c'est son père qui l'a agressée, l'enfant peut se sentir coupable de dévoiler son secret. Elle peut aussi avoir peur de représailles, de se faire battre ou abandonner, ou que le père fasse mal à quelqu'un d'autre dans la famille.

Il faut que tu fasses comprendre à l'enfant qu'elle

n'est pas responsable de ce qui s'est passé. Certains enfants peuvent croire que l'inceste dont ils sont victimes est une forme de punition parce qu'ils ont fait des choses qui n'étaient pas correctes.

Ensuite, parle de ce que tu viens d'apprendre à tes parents et signalez le cas au Directeur de la Protection de la Jeunesse, ou à la police, pour que la petite soit protégée le plus vite possible. Remarque qu'il est légalement obligatoire de rapporter ces cas aux autorités.

Un ensemble de signes indicateurs d'abus...

Les jeunes qui vivent l'inceste dans leur famille, qu'ils soient fille ou garçon, sont des enfants très malheureux, et parfois leurs appels au secours peuvent prendre des formes qu'on ne comprend pas forcément lorsqu'ils nous les lancent.

1. Par exemple, une fille, surtout à l'adolescence, peut entrer en crise de rebellion prononcée contre ses parents : contre un père possessif et une mère négligente. En effet, le père incestueux empêche souvent sa fille de fréquenter des jeunes de son âge, il contrôle toutes ses activités, toutes ses sorties.

À la maison, la jeune fille est souvent considérée comme la femme de la maison, elle a d'importantes responsabilités familiales et domestiques, allant parfois jusqu'à jouer le rôle de la mère auprès de ses jeunes frères et sœurs.

2. Dans ses études, sa situation peut provoquer des difficultés scolaires ou de comportement.

3. Certaines jeunes filles abusées se tournent vers la drogue, la prostitution, la délinquance pour oublier leur cauchemar. Dans les centres d'accueil et les cliniques

psychiatriques, on a constaté un taux assez important de jeunes filles ayant vécu de l'inceste dans leur famille.

Si tu as besoin d'aide…

Si tu as besoin d'aide, si un ou une des tes amies a besoin d'aide, n'hésite pas à communiquer la police, le CLSC de ta région ou avec un des centres d'aide suivants. Ces centres sont regroupés sous l'appellation « CALACS », qui signifie « Centres d'aide et de lutte contre les agressions à caractère sexuels ».

- Baie-Comeau : CALACS Baie-Comeau, (418) 589-1714
- Châteauguay : CAPAS, (514) 699-8258
- Chicoutimi : La Maison ISA, (418) 545-6444
- Drummondville : La Passerelle (819) 478-3353
- Granby : CAPAS, (514) 375-3338
- Hull : CALAS Outaouais (819) 771-6233
- Joliette : CALACS Lanaudière, (514) 756-4999
- Laval : CPIVAS, (514) 669-8279
- Montréal :
  - Centre pour les victimes d'agresson sexuelle, (514) 934-4504
  - Le Service aux victimes d'agression sexuelle de l'Hôtel-Dieu, (514) 843-2611
  - Mouvement contre le viol et l'inceste, (514) 278-9383
  - Trêve pour Elles, (514) 251-0323
- Québec : Viol-Secours, (418) 422-2120
- Rimouski : CALACS Rimouski, (418) 725-4220
- Rouyn-Noranda : Point d'appui, (819) 797-0101
- Saint-Georges-de-Beauce : CALACS Chaudière-Appalaches, (418) 227-6866
- Saint-Jérôme : CALACS Laurentides, (514) 565-6231

- Saint-Lambert : La Traversée, (514) 465-5263
- Sherbrooke : CALACS, (819) 563-9999
- Trois-Rivières : CALACS Trois-Rivières, (819) 373-1232
- Val D'Or : Assaut Sexuel Secours, (819) 825-6968
- Valleyfield : La Vigie, (514) 371-4222

Bibliographie

- La Collective Par et Pour Elle, *Survivre à l'inceste. Mieux comprendre pour mieux intervenir.* 1989, 198 p.

- Le Conseil du statut de la femme, *L'inceste envers les filles. État de la situation*, Gouvernement du Québec, 1995, 124 p.

- LEGAULT, *Diane, Droits d'ados... Stop à l'agression sexuelle*, ministère de la Justice du Canada et ministère de la Justice du Québec, 30 p.

- PERREAULT, Mireille, *Ces enfants abusés, désabusés et abuseurs*, Centre des services sociaux du Bas-du-Fleuve, 1989, 226 p.

- ZELLER, Christine, *Des enfants maltraités au Québec?*, Les Publications du Québec, 1987, 178 p.